DISCARD

Y0-BDQ-108

Y0-BDQ-108

POCZET KRÓLÓW I KSIĄŻĄT POLSKI

POCZET
KRÓLÓW
I KSIĄŻĄT
POLSKI

Dragon Edukacja

Spis treści

R07100 38264

● Wstęp

Historię świata tworzą ludzie. Ci zwykli, o których nikt nie pamięta, trochę nam bliżsi, bo należący do naszej rodziny, ale w dziejach świata najważniejsi są ci wielcy – królowie, carowie, cesarze. Każda rodzina ma swoją historię, podobnie jak każdy naród ma swoje dzieje, nierozerwalnie związane z ludźmi, którzy nim rządzili. Władcy byli różni – waleczni lub tchórzliwi, mądrzy lub mniej mądrzy, zaradni lub mniej zaradni, przywiązani do swego dziedzictwa lub zdrajcy – każdy z naszych królów był tylko człowiekiem.

To właśnie dzięki nim, ich działaniom, staraniom, toczonym wojnom, zawieranym sojuszom, bardziej lub mniej udanym małżeństwom (czasami wbrew woli, ale dla dobra dynastii), jesteśmy w określonym miejscu i czasie.

Decyzje i działania władców nieodwracalnie wpłynęły na naszą historię – zarówno dzieje kraju, jak i na historię naszych rodzin. Dlatego warto poznać tych, którzy spowodowali, że żyjemy w określonych warunkach politycznych i geograficznych.

Mieszko I

żył w latach: ok. 935–992
panował w latach: ok. 960–992

Był pierwszym polskim władcą, o którym wspominały źródła historyczne – dokumenty dotyczą okresu, gdy Mieszko był już dojrzałym człowiekiem. Jego ojcem, zgodnie z przekazem tradycji dworskiej, był książę Siemiomysł, syn Lestka, wnuk Siemowita i prawnuk Piasta.

„Mieszko, król Północy" – tak nazywał władcę Żyd Ibrahim ibn Jakub, podróżnik i kronikarz z Hiszpanii, na którym opowieści o państwie Mieszka i jego zbrojnej drużynie wywarły wielkie wrażenie. Około 960 r. Mieszko rządził w Wielkopolsce, na Kujawach, Mazowszu i wschodniej Małopolsce. W 963 r. władca podjął próbę podporządkowania sobie ziemi lubuskiej i Pomorza Zachodniego. Zamiary te spotkały się ze zdecydowanym sprzeciwem pozostających w sojuszu z Czechami plemion wieleckich, zajmujących tereny między Odrą i Łabą. Na ich czele stanął Wichman, niemiecki banita i awanturnik. Dwukrotnie pokonany Mieszko uznał zwierzchnictwo cesarza Ottona I i płacił trybut z części swoich ziem.

W 965 r. władca zawarł sojusz z księciem Czech, Bolesławem I Srogim, przypieczętowany małżeństwem z jego córką Dobrawą (Dąbrówką). W Wielką Sobotę, 24 kwietnia 966 r., Mieszko wraz ze swym dworem przyjął chrzest. Według większości historyków uroczystość odbyła się na Ostrowie Lednickim. Mieszko, przyjmując chrześcijaństwo, utrwalił sojusz z Czechami, mógł także prowadzić bardziej elastyczną politykę wobec Niemiec. W 972 r. stawił czoło Hodonowi, margrabiemu Marchii Wschodniej. Wojska polskie dowodzone przez Czcibora, książęcego brata, rozbiły najeźdźców pod Cedynią.

Udział w walkach dynastycznych po śmierci Ottona I skutkował wyprawą niemiecką w 979 r., zakończoną polskim zwycięstwem i małżeństwem księcia (Dąbrówka zmarła w 977 r.) z Odą, córką margrabiego Teodoryka, które zapewniło powrót do dobrych stosunków z sąsiadem. W 981 r. władca utracił na rzecz księcia kijowskiego Włodzimierza Grody Czerwieńskie, ale w wojnie z Czechami w 990 r. zajął Śląsk. W chwili śmierci w 992 r. Mieszko panował nad Wielkopolską, Kujawami, Pomorzem, Mazowszem, Śląskiem i wschodnią Małopolską, czego możemy dowiedzieć się z wystawionego przezeń dokumentu *Dagome iudex*, w którym ofiarował swoje państwo pod opiekę Stolicy Apostolskiej.

Zaprowadzenie chrześcijaństwa,
J. Matejko (1889)

Dobrawa

żyła w latach: ok. 945–977
panowała w latach: ok. 965–977

Pierwsza księżna Polski. Była córką księcia czeskiego Bolesława I Srogiego z dynastii Przemyślidów. Przymierze, jakie zawarł jej ojciec z Mieszkiem I w 965 r. obligowało ją do poślubienia księcia polskiego. Urodziła Mieszkowi przynajmniej dwoje dzieci – Świętosławę (która została królową Szwecji i Danii) oraz Bolesława (późniejszego – pierwszego – króla Polski). Tradycja przypisuje Dobrawie bardzo dużą rolę w przyjęciu chrztu przez Mieszka, a także w chrystianizacji ziem polskich. Historycy mają podzielone zdania. Najprawdopodobniej to sam Mieszko podjął polityczną decyzję o chrzcie z rąk czeskich – mógł wówczas liczyć na partnerski sojusz. Gdyby przyjął go ze strony niemieckiej, musiałby uzależnić swoje działania polityczne od decyzji Niemiec. Najbardziej oczywistą korzyścią przyjęcia chrześcijaństwa była równość wobec innych władców chrześcijańskich oraz religijne uprawomocnienie władzy – odtąd był władcą z Bożej łaski. Dobrawa, jeśli faktycznie odegrała rolę w chrystianizacji Polan, to w poczet jej zasług wliczyć można – jak podaje Gall Anonim – sprowadzenie na ziemie polskie znakomitych dostojników duchownych. Być może wśród nich był także Jordan, pierwszy biskup polski. Dobrawa prawdopodobnie przyczyniła się do powstania kościołów św. Trójcy i św. Wita w Gnieźnie, a także kościoła Marii Panny na Ostrowie Tumskim w Poznaniu. Zmarła w 977 r., a jej śmierć bardzo osłabiła sojusz polsko-czeski.

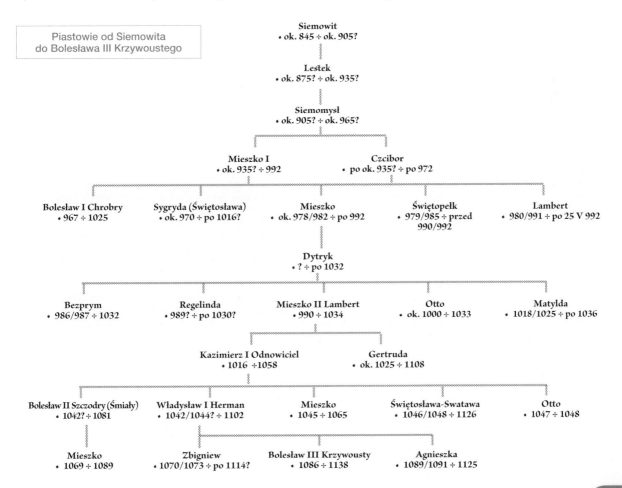

Piastowie od Siemowita do Bolesława III Krzywoustego

Siemowit
• ok. 845 ÷ ok. 905?

Lestek
• ok. 875? ÷ ok. 935?

Siemomysł
• ok. 905? ÷ ok. 965?

Mieszko I
• ok. 935? ÷ 992

Czcibor
• po ok. 935? ÷ po 972

Bolesław I Chrobry
• 967 ÷ 1025

Sygryda (Świętosława)
• ok. 970 ÷ po 1016?

Mieszko
• ok. 978/982 ÷ po 992

Świętopełk
• 979/985 ÷ przed 990/992

Lambert
• 980/991 ÷ po 25 V 992

Dytryk
• ? ÷ po 1032

Bezprym
• 986/987 ÷ 1032

Regelinda
• 989? ÷ po 1030?

Mieszko II Lambert
• 990 ÷ 1034

Otto
• ok. 1000 ÷ 1033

Matylda
• 1018/1025 ÷ po 1036

Kazimierz I Odnowiciel
• 1016 ÷1058

Gertruda
• ok. 1025 ÷ 1108

Bolesław II Szczodry (Śmiały)
• 1042? ÷ 1081

Władysław I Herman
• 1042/1044? ÷ 1102

Mieszko
• 1045 ÷ 1065

Świętosława-Swatawa
• 1046/1048 ÷ 1126

Otto
• 1047 ÷ 1048

Mieszko
• 1069 ÷ 1089

Zbigniew
• 1070/1073 ÷ po 1114?

Bolesław III Krzywousty
• 1086 ÷ 1138

Agnieszka
• 1089/1091 ÷ 1125

Bolesław I Chrobry

żył w latach: ok. 967–1025
panował w latach: 992–1025
(król Polski od 1025 r.)

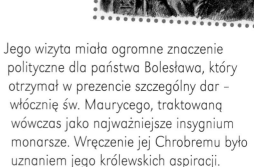

Pierworodny syn Mieszka I i Dobrawy dzieciństwo spędził pod opieką Ottona I, jako zakładnik zapewniający posłuszeństwo księcia wobec cesarza. Po śmierci ojca Bolesław wygnał z kraju macochę wraz z przyrodnim rodzeństwem i zjednoczył państwo, które przed śmiercią Mieszko podzielił pomiędzy dzieci.

Myśląc o koronie, Bolesław Chrobry utrzymywał dobre kontakty z cesarstwem niemieckim i papiestwem. Bolesław wspierał zorganizowaną w 997 r. przez biskupa praskiego Wojciecha Sławinkowica misję chrystianizacyjną do Prus. Po jego męczeńskiej śmierci wykupił zwłoki biskupa za równowartość wagi jego ciała. Dokonał uroczystego pochówku męczennika i w 999 r. doprowadził do jego kanonizacji. Posiadanie relikwii świętego Wojciecha pozwoliło na utworzenie w 1000 r. w Gnieźnie pierwszego arcybiskupstwa na terenie Polski. W tym samym roku odbył się zjazd gnieźnieński, a do grobu świętego przybył z pielgrzymką cesarz niemiecki Otton III.

Grot włóczni św. Maurycego podarowanej Bolesławowi Chrobremu przez Ottona III podczas zjazdu w Gnieźnie

Jego wizyta miała ogromne znaczenie polityczne dla państwa Bolesława, który otrzymał w prezencie szczególny dar – włócznię św. Maurycego, traktowaną wówczas jako najważniejsze insygnium monarsze. Wręczenie jej Chrobremu było uznaniem jego królewskich aspiracji.

Bolesław, który u współczesnych zasłużył sobie na przydomek Wielki, prowadził liczne wojny zarówno z zachodnimi, jak

Bolesław Chrobry, M. Bacciarelli

Polska w czasach Bolesława I Chrobrego

Morze Bałtyckie

Morze Azowskie

▨ ziemie przejęte na początku panowania (ok. 992 r.)
░ ziemie przyłączone w trakcie panowania
▤ ziemie w czasowym władaniu Bolesława Chrobrego
☐ granice Królestwa Polskiego pod koniec panowania (ok. 1025 r.)

0   250   500 km

Św. Wojciech, miniatura Stanisława Samostrzelnika
z *Katalogu arcybiskupów gnieźnieńskich* (XVI w.)

i wschodnimi sąsiadami, znacznie poszerzając
podległe sobie terytorium. Po skutecznej obronie
Niemczy pokój zawarty w Budziszynie przyniósł
Chrobremu Milsko i Łużyce. W 1018 r. w bitwie
nad Bugiem Chrobry pokonał kijowskiego księcia
Jarosława Mądrego. Wkroczył na Ruś, a na tronie
osadził własnego zięcia, Świętopełka. Odzyskał
także Grody Czerwieńskie. Przejściowo w 1003 r.
panował także w Czechach.

Zwieńczeniem panowania Bolesława
Chrobrego, tuż przed śmiercią, była jego
koronacja, 18 kwietnia 1025 r. Wydarzenie
miało duże znaczenie polityczne, wzmacniało
prestiż państwa i rządzącej nim dynastii.

Wjazd Bolesława Chrobrego do Kijowa

Koronacja pierwszego króla,
J. Matejko (1889)

9

Mieszko II Lambert

żył w latach: 990–1034
panował w latach: 1025–1034
(król Polski od 1025 r.)

Decyzją Bolesława Chrobrego to nie pierworodny Bezprym, ale młodszy – zrodzony z trzeciej żony władcy, Emnildy – Mieszko został królem. Ojciec zaaranżował także jego małżeństwo z Rychezą, siostrzenicą cesarza niemieckiego Ottona III, do którego doszło w 1013 r. Ponieważ Bolesław przydzielił małżonkom ziemię krakowską, Mieszko II zamieszkał w Krakowie, czyniąc go stolicą.

Niemal natychmiast po śmierci ojca Mieszko koronował się na króla. Państwo polskie w owym czasie znajdowało się u szczytu potęgi, jednak mocarstwowa polityka Chrobrego spowodowała znaczny wzrost obciążeń ludności cywilnej, także na rzecz Kościoła, co znacznie osłabiło potencjał ekonomiczny kraju. Ponadto zdobycze terytorialne Bolesława I powodowały nastroje rewindykacyjne u sąsiadów Polski. Również pozbawieni władzy bracia nowego króla, starszy Bezprym i młodszy Otton, nie pogodzili się z decyzją ojca. Szukając sojuszników w walce przeciwko bratu, zyskali poparcie koalicji niemiecko-ruskiej.

Za czasów panowania Mieszka II Czesi zajęli Morawy, a Niemcy opanowali Łużyce. Wśród agresorów znaleźli się też Duńczycy, którzy oderwali od królestwa Pomorze. Grody Czerwieńskie przeszły w ręce Rusinów. Nawet żona króla wystąpiła przeciwko niemu, opuściła kraj, zabierając do Niemiec insygnia królewskie. Zbudowane z wielkim trudem państwo znalazło się w stanie rozpadu. 7 lipca 1032 r. Mieszko II Lambert uznał zwierzchnictwo cesarza niemieckiego i zrezygnował z godności królewskiej. Konrad II dokonał podziału Polski na trzy dzielnice, przyznając je byłemu władcy, jego bratu Ottonowi (Bezprym został wcześniej zgładzony) i ich stryjecznemu bratu Dytrykowi. Mieszkowi II szybko udało się jeszcze raz zjednoczyć państwo, ale było to ostatnie posunięcie polityczne władcy. Zmarł w maju 1034 r., został pochowany w Poznaniu, a po jego śmierci w Polsce wybuchła wojna domowa.

Księżna Matylda wręcza księgę liturgiczną Mieszkowi II

Mieszko II przyjmuje hołd Pomorzan

Rycheza Lotaryńska

żyła w latach: ok. 993–1063
panowała w latach: 1025–1063

Córka palatyna reńskiego Ezzona i Matyldy, córki Ottona II, króla niemieckiego i cesarza rzymsko-niemieckiego, przyjęła staranne wykształcenie, dorastając w klasztorze w Kwedlinburgu. Gdy w 1013 r. w Merseburgu podpisano pokój kończący wojnę polsko-niemiecką, mocą układu poślubiła Mieszka II Lamberta, księcia polskiego. Trzy lata później urodziła syna – Kazimierza, znanego jako Kazimierz I Odnowiciel.

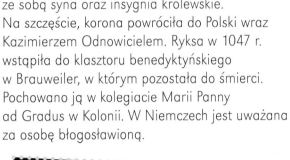

W niedługim czasie po śmierci Bolesława Chrobrego, ojca Mieszka II, para książęca została koronowana. Tytułem królowej Polski Rycheza Lotaryńska posługiwała się do śmierci, mimo że w 1031 r., w wyniku niekorzystnych wydarzeń na arenie politycznej (przejęcie władzy przez szwagra Bezpryma oraz haniebna ucieczka Mieszka II) powróciła do Niemiec, zabierając ze sobą syna oraz insygnia królewskie. Na szczęście, korona powróciła do Polski wraz Kazimierzem Odnowicielem. Ryksa w 1047 r. wstąpiła do klasztoru benedyktyńskiego w Brauweiler, w którym pozostała do śmierci. Pochowano ją w kolegiacie Marii Panny ad Gradus w Kolonii. W Niemczech jest uważana za osobę błogosławioną.

Pieczęć Rychezy

Mieszko II, W.E. Radzikowski

Rycheza Lotaryńska, W. Gerson (ok. 1891)

Kazimierz Odnowiciel

żył w latach: 1016–1058
panował w latach: 1034–1058

Jedyny syn Mieszka II Lamberta i Rychezy urodził się w 1016 r. Po objęciu władzy przez Bezpryma, starszego brata ojca, i ucieczce Mieszka do Czech, wraz z matką wyjechał do Niemiec.

Po śmierci Mieszka II w 1034 r. w kraju panowała anarchia. Prawowity następca, Kazimierz, nie był w stanie skutecznie przejąć władzy, a w 1037 r. został nawet wygnany przez zbuntowanych możnowładców. Pogrążona w kryzysie i wewnętrznych waśniach Polska była łatwą zdobyczą dla wrogów. Sytuację wykorzystał książę czeski Brzetysław, który latem 1038 r. najechał kraj i złupił go, nie napotykając większego oporu. Wojska czeskie największe szkody wyrządziły w Wielkopolsce – zniszczyły Poznań i Gniezno, skąd Brzetysław wywiózł do Pragi relikwie świętego Wojciecha, patrona Polski. Najeźdźcy zagarnęli także Śląsk.

Przebywający na wygnaniu na Węgrzech Kazimierz odzyskał wolność po objęciu władzy przez nowego króla. Wobec tak dramatycznych dla Polski okoliczności jego powrót do kraju nie spowodował większych sprzeciwów, popierał go nawet cesarz niemiecki. Powoli, z dużym powodzeniem książę zabrał się za odbudowę państwa. Szybko opanował zniszczoną działaniami wojennymi Wielkopolskę. Na mocy układu z 1041 r. zawartego w Ratyzbonie Brzetysław zwrócił Polakom Małopolskę.

W 1047 r., dzięki ruskiemu wsparciu, pokonał dążącego do separatyzmu Miecława, zyskując Mazowsze, a trzy lata później Śląsk, który ostatecznie cesarz, za cenę trybutu, na zjeździe kwedlinburskim w 1054 r. przyznał Polsce. Zakończyło to skomplikowany i długotrwały proces zjednoczeniowy. Jednocześnie akcji tej towarzyszyła odbudowa struktur ekonomicznych i administracyjnych.

Rusinka Dobroniega Maria, żona Kazimierza Odnowiciela, M. Jabłoński

Z powodu wielkiego zniszczenia Wielkopolski i jej najważniejszych grodów – Poznania i Gniezna – Kazimierz przeniósł siedzibę do Krakowa. Jego zasługą jest także sprowadzenie do Tyńca zakonu benedyktynów. Kazimierz I Odnowiciel zmarł w listopadzie 1058 r.

Opactwo benedyktynów w Tyńcu

Bolesław II Śmiały

żył w latach: ok.1042–1081/1082
panował w latach: 1058–1079
(król Polski od 1076 r.)

Najstarszy syn Kazimierza Odnowiciela i Dobroniegi Marii, siostry księcia kijowskiego Jarosława Mądrego, miał prawdopodobnie tylko 16 lat, gdy w 1058 r. objął tron po śmierci ojca. Państwo polskie podnosiło się wówczas po buntach możnych, niepokojach społecznych i obcych interwencjach. Kazimierz Odnowiciel opanował główne dzielnice Polski, ale ceną za to była zależność od cesarstwa niemieckiego. Kością niezgody z Czechami pozostawał Śląsk, z którego Polacy płacili trybut.

Bolesław Śmiały został królem w 1076 r., po osiemnastu latach sprawowania władzy książęcej. Koronacja podkreślała suwerenność państwa, zwłaszcza względem Niemiec, a także umacniała pozycję Polski w Europie Środkowej. Wyniesienie na tron pośrednio było wynikiem poparcia papiestwa w sporze z cesarzem Henrykiem IV o inwestyturę. Legat papieski ponownie ustanowił arcybiskupstwo w Gnieźnie, co mogło stać się zaczątkiem konfliktu z biskupem krakowskim Stanisławem ze Szczepanowa. Utworzono także kolejną siedzibę biskupów w Płocku (istniały wcześniej już założone biskupstwa w Poznaniu, Wrocławiu i Krakowie).

Bolesław II (zwany również Szczodrym) nieustannie prowadził wojny, interweniował też w sporach dynastycznych na Węgrzech i Rusi. Jego panowanie po trzech latach zakończyło się wygnaniem. Bolesław wprowadził rządy silnej ręki, co spowodowało wzrost niezadowolenia poddanych. Król odpowiedział na bunt wyrokami śmierci i prześladowaniami przeciwników. W obronie buntowników stanął biskup krakowski Stanisław, który wzywał monarchę do opamiętania, a w końcu zagroził klątwą. Rozgniewany król skazał biskupa na śmierć za zdradę, co tylko pogorszyło jego sytuację. Zapalczywego króla obłożono ekskomuniką i zmuszono do wyjazdu wraz z rodziną na Węgry, gdzie zmarł po kilku latach.

Zabójstwo św. Stanisława,
J. Matejko (1892)

13

Władysław I Herman

żył w latach: 1044–1102
panował w latach: 1079–1102

Po wygnaniu Bolesława I Śmiałego możnowładcy wynieśli na tron krakowski młodszego syna Kazimierza Odnowiciela i Dobroniegi Marii, Władysława, który do tej pory rządził dzielnicą mazowiecką otrzymaną po śmierci ojca. W 1080 lub 1081 r. władca ożenił się (było to drugie małżeństwo Władysława) z Judytą, córką księcia czeskiego Wratysława II. Władysław Herman prowadził politykę porozumienia z krajami niemieckimi oraz Czechami, uznając nawet prawo Czechów do Śląska. Po śmierci żony polski książę poślubił Judytę Marię, siostrę cesarza Henryka IV. To małżeństwo dynastyczne wzmocniło pozycję Hermana, nie pozwoliło jednak na zerwanie zależności od Czech.

Władysław Herman nie był zbyt aktywnym władcą. Faktyczną władzę sprawował wojewoda książęcy Sieciech. Spowodowało to wzrost niezadowolenia możnych, którzy zaczęli popierać królewskich synów – Zbigniewa (z pierwszego małżeństwa) i Bolesława Krzywoustego. W 1097 r. nasilenie konfliktu doprowadziło do podziału kraju, a obaj synowie otrzymali dziedziczne dzielnice – Zbigniew rządził Wielkopolską, Śląsk przekazano

Bolesławowi Krzywoustemu, sobie Władysław Herman pozostawił Mazowsze z jego grodami i Małopolskę.

Władca nigdy nie koronował się na króla, uznając zwierzchność cesarstwa niemieckiego. Był cenionym współpracownikiem Henryka IV. Bardzo zabiegał o przywrócenie autorytetu władzy książęcej, doprowadził także do poprawy stosunków z sąsiadami. Książę dbał również o sprawy Kościoła. Pamiątką i podziękowaniem za cudowne narodziny syna Bolesława była budowa kościołów pod wezwaniem świętego Idziego. Władysław I Herman zlecił także wykonanie tzw. złotych kodeksów. Były to cenne księgi – pisane złotym atramentem i bogato iluminowane. Książę zmarł w czerwcu 1102 r.

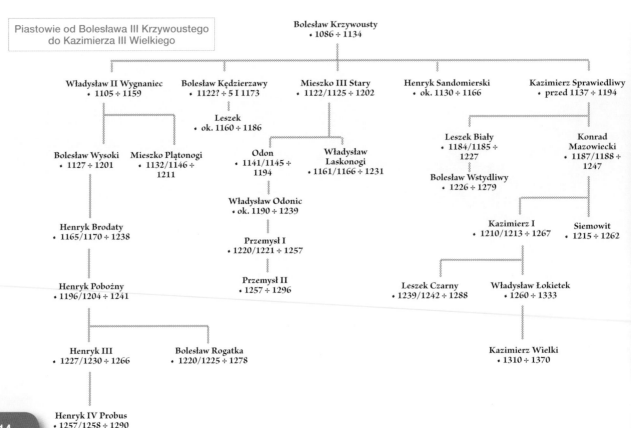

Bolesław III Krzywousty

żył w latach: 1086–1138
panował w latach: 1102–1138

Bolesław urodził się w 1086 r.
z małżeństwa Władysława I Hermana
i czeskiej księżniczki Judyty.
Po śmierci ojca Bolesław toczył
walki o władzę z przyrodnim bratem
Zbigniewem, którego podstępnie
uwięził i zgładził.

Bolesław powoli utrwalał swoją
władzę, odnosząc kolejne sukcesy
wojenne i zdobywając nowe terytoria.
W historii Polski zapisała się wojna z cesarzem
niemieckim w 1109 r., która obfitowała w wiele
tragicznych zdarzeń. Najbardziej znane jest
krwawe oblężenie Głogowa, gdy Niemcy
przywiązali zakładników – gwarantów uczciwych
pertraktacji – do machin oblężniczych. Legendą
stała się także zwycięska dla Bolesława bitwa
na Psim Polu niedaleko Wrocławia. Książę
zdobywał też ziemie pomorskie, prowadząc
tam jednocześnie akcje misyjne. Ostatecznie
opanował w latach 1113-1124 Pomorze Gdańskie
oraz uzyskał zwierzchnictwo nad Pomorzem
Szczecińskim. Ze swojej wizyty na Węgrzech
w 1113 r. sprowadził do Polski benedyktyńskiego
mnicha Galla Anonima, zlecając mu pisanie
kroniki rodu piastowskiego.

*Salomea, żona Bolesława
Krzywoustego*, M. Jabłoński

Pod koniec życia Bolesław ogłosił ustawę
sukcesyjną, która określała zasady dziedziczenia
polskiego tronu po jego śmierci oraz wzajemne
relacje między synami. Na jej podstawie trzej
najstarsi synowie: Władysław II, Bolesław IV

i Mieszko III
otrzymali własne,
dziedziczne dzielnice –
odpowiednio: Śląsk, Mazowsze z Kujawami
i Wielkopolskę. Dodatkowo ustanowiono dzielnicę
senioralną z Krakowem jako stolicą, w której
rządy miał sprawować najstarszy przedstawiciel
dynastii. Senior, który miał władzę zwierzchnią
nad pozostałymi książętami, prowadził także
politykę zagraniczną Polski. W ten sposób
rozpoczął się okres rozbicia dzielnicowego, który
trwał około 200 lat. Bolesław III Krzywousty
zmarł w październiku 1138 r.

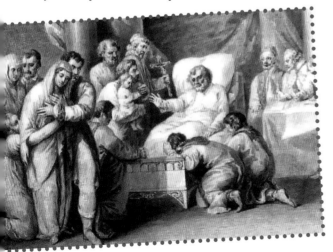

Śmierć Bolesława, J. Peszek

Stronica z *Kroniki* Galla Anonima

15

Władysław II Wygnaniec

żył w latach: 1105–1159
panował w latach: 1138–1146

Był pierworodnym synem Bolesława III Krzywoustego i pierwszej żony księcia, Zbysławy, księżniczki ruskiej. Jako młody człowiek uczestniczył w rozgrywkach politycznych ojca. Zgodnie z testamentem Bolesława Krzywoustego, w 1138 r. został pierwszym księciem zwierzchnim i oprócz dziedzicznego Śląska (z grodem we Wrocławiu) rządził też dzielnicą senioralną z grodami w Krakowie i Gnieźnie. Władysław sprawował pełną władzę wojskową i sądową, w jego rękach skupiała się cała polityka zagraniczna kraju. Ponadto otrzymał prawo do opieki nad małoletnim rodzeństwem. Faktyczna władza Mieszka III Starego i Bolesława IV Kędzierzawego sprowadzała się tylko do administrowania własnymi dzielnicami. Władysław dążył do przywrócenia jedności państwa i usilnie szukał sojuszników dla swoich działań. W 1146 r. uzyskał poparcie

Władysław II Wygnaniec,
W.E. Radzikowski

cesarza niemieckiego Konrada III – 31 marca 1146 r. złożył mu hołd lenny w Kainie – i wystąpił zbrojnie przeciwko braciom: Bolesławowi IV i Mieszkowi III. Walka nie przyniosła jednak oczekiwanego zwycięstwa i Władysław został wygnany z kraju. Jedną z przyczyn klęski seniora w walce z juniorami było oślepienie i wygnanie Piotra Włostowica, wpływowego wielmoży śląskiego i darczyńcy kościoła. Spowodowało to odwrócenie się rycerstwa od Władysława, kiedy ten próbował oblegać zamkniętych w Poznaniu młodszych braci. Książę znalazł schronienie w Niemczech i z powodzeniem prowadził zabiegi o interwencję cesarza. W 1157 r. Władysław II Wygnaniec doprowadził do wyprawy na Polskę cesarza Fryderyka Barbarossy. Głównym jej celem była chęć przywrócenia zwierzchnictwa nad Polską, a sprawa wygnania seniora była tylko wygodnym pretekstem. Cesarz nie zamierzał układać się z księciem seniorem, sprawił co prawda, że książęta oddali należny bratu gest, ale Władysław na dzielnicę seniralną już nie powrócił – zmarł na wygnaniu w maju 1159 r. Władysław II Wygnaniec jest protoplastą śląskiej linii Piastów.

Oślepienie Piotra Włostowica

Fryderyk I Barbarossa

Bolesław IV Kędzierzawy

żył w latach: ok. 1122–1173
panował w latach: 1138–1173

Był trzecim z kolei (po zmarłych w dzieciństwie Leszku i Konradzie) synem Bolesława III Krzywoustego i jego drugiej żony, Salomei, hrabianki Bergu.

Po śmierci ojca, na mocy ustawy sukcesyjnej przejął władzę nad Mazowszem i Kujawami. Po wygnaniu starszego brata (Władysława II) objął dzielnicę senioralną. Przez kolejne lata musiał walczyć o jej utrzymanie, gdyż Władysław podejmował zbrojne próby odzyskania sukcesji, znajdując sojuszników w stolicy apostolskiej i cesarstwie. W 1148 r. do Polski przybył legat papieski, który próbował namówić książąt juniorów do ponownego uznania władzy wygnanego brata. Ostatecznie Bolesława IV pokonał Fryderyk Barbarossa, następca zmarłego podczas krucjaty do Ziemi Świętej Konrada. W 1157 r. polski książę został zobowiązany do zapłacenia wysokiej kontrybucji oraz musiał uznać zwierzchnictwo niemieckie i złożyć hołd lenny w Krzyszkowie. Akt ten, mimo upokarzającej formy, pozwolił na zachowanie władzy, a Polska faktycznie pozostawała samodzielna. Ponadto Polacy zobowiązali się do wsparcia zbrojnego niemieckiej wyprawy do Włoch. Sukces cesarza był połowiczny, gdyż oprócz uznania zależności lennej Polska nie wypełniła żadnej obietnicy.

Jednak najstarszy brat, Władysław IV Wygnaniec, nie powrócił już na tron senioralny do Krakowa. Pod naciskiem dyplomatycznym Barbarossy Bolesław IV Kędzierzawy w 1163 r. zgodził się jedynie na powrót do kraju bratanków – Bolesława Wysokiego, Mieszka Plątonogiego i Konrada – którzy otrzymali we władanie Śląsk, dawną dzielnicę dynastyczną swego ojca.

Książę wspierał osadnictwo, poczynił spore nadania na rzecz Kościoła, jak choćby kolegiata w Tumie pod Łęczycą czy opactwo cystersów w Łęknie. Za rządów Bolesława IV Kędzierzawego Polska straciła Pomorze. Książę zmarł w styczniu 1173 r. i spoczął prawdopodobnie w katedrze w Płocku.

Chrystus w mandorli na tympanonie opactwa w Ołbinie (dziś Wrocław), po lewej klęczą Bolesław Kędzierzawy i jego syn Leszek, 1172 r.

Mieszko III Stary

żył w latach: 1126–1202
panował w latach: 1138–1202

Po śmierci ojca, Bolesława Krzywoustego, jako trzeci w kolejności starszeństwa na mocy ustawy sukcesyjnej otrzymał we władanie zachodnią Wielkopolskę z Poznaniem. Po zgonie brata, Bolesława Kędzierzawego, został księciem zwierzchnim i objął dzielnicę senioralną ze stolicą w Krakowie. Szybko jednak jego rządy spowodowały wzrost niezadowolenia poddanych. Mieszko, występując jako „najwyższy książę Polski", podkreślał swoją zwierzchność i za wszelką cenę starał się wzmocnić pozycję w państwie. Jako książę senior zraził do siebie możnych krakowskich, otaczając się ludźmi niższego stanu i psując lokalną monetę. Takie metody sprawowania władzy spowodowały w końcu jawny bunt możnowładców, w wyniku którego w 1177 r. Mieszko został wygnany z Krakowa. Tron princepsa i władzę zwierzchnią otrzymał Kazimierz Sprawiedliwy.

Mieszko nie pogodził się jednak z takim obrotem sprawy i usilnie dążył do odzyskania władzy. W 1195 r. w bitwie pod Mozgawą musiał wprawdzie uznać

Kielich z Trzemeszna, dar Mieszka Starego

wyższość krakowskich możnych, ale w 1198 r. udało mu się na kilka lat powrócić na tron krakowski, gdy rządził w imieniu małoletniego Leszka Białego, syna Kazimierza Sprawiedliwego. Nie sprawował rządów osobiście, gdyż pozostawał w Kaliszu, a władzę w Krakowie powierzył wojewodzie Mikołajowi.

Mieszko III Stary zmarł w marcu 1202 r. i został pochowany w kolegiacie św. Pawła Apostoła w Kaliszu. Jest protoplastą wielkopolskiej linii Piastów, chociaż przez część panowania miał duże kłopoty z utrzymaniem swojej rodzimej Wielkopolski, o którą walczył z synem Odonem.

Jego największą zasługą było dążenie do utrzymania jedności państwa. Warto również zwrócić uwagę, że książę był hojnym fundatorem i wspomagał różne instytucje Kościoła. Z jego inicjatywy wybudowano kolegiatę w Kaliszu, w 1191 r. ufundował komandorię joannitów w Poznaniu, a w 1193 r. bogato uposażył opactwo Cystersów w Lądzie. Mieszko III Stary był też prawdopodobnie fundatorem słynnych drzwi gnieźnieńskich, na których przedstawiono sceny z życia św. Wojciecha.

Opactwo Cystersów w Lądzie

Kazimierz II Sprawiedliwy

żył w latach: ok. 1138–1194
panował w latach: 1166–1194

Najmłodszy syn Bolesława III Krzywoustego, pominięty w testamencie ojca, był prawdopodobnie pogrobowcem. Po śmierci starszego brata, Henryka Sandomierskiego, który zginął w walce z Prusami w 1166 r., Bolesław IV Kędzierzawy zagarnął obiecaną Kazimierzowi dzielnicę sandomierską, wydzielając z niej niewielkie księstwo wiślickie. Dopiero gdy dostojnicy kościelni i świeccy zdetronizowali Kędzierzawego, książę otrzymał całą dzielnicę zmarłego brata.

Dziesięć lat spokojnych rządów zjednało mu szacunek i sympatię sąsiadów. Gdy w 1177 r. zbuntowani możni usunęli z tronu krakowskiego dotychczasowego seniora Mieszka III Starego, kolejnym księciem zwierzchnim został Kazimierz Sprawiedliwy.

Kazimierz, dążąc do umocnienia swojej pozycji, w 1180 r. zwołał do Łęczycy zjazd książąt piastowskich połączony z synodem. Na jego zaproszenie przybyli: Odon (syn Mieszka III Starego), książę poznański, bratankowie: Leszek oraz Bolesław Wysoki. Dzięki nadaniom i licznym przywilejom przyznanym Kościołowi (książę m.in. zrzekł się dóbr po zmarłym biskupie i zniósł koszty utrzymania przebywających w dobrach kościelnych wojsk książęcych) Kazimierz Sprawiedliwy otrzymał legitymizację tronu krakowskiego, co oznaczało likwidację zasad senioratu wprowadzoną przez testament Krzywoustego i zapewniało dziedziczenie dzielnicy krakowskiej przez jego potomków.

W kolejnych latach Kazimierz zaangażował się w sprawy Rusi. W 1186 r. po śmierci Leszka, syna Bolesława Kędzierzawego, objął władzę nad Mazowszem i Kujawami. Kazimierz prowadził bardzo aktywną politykę wschodnią, angażując się w obsadę tronu na Rusi Halickiej kandydatami sprzyjającymi Polsce. Aktywność ta doprowadziła do konfrontacji z Węgrami.

Książę zmarł nagle podczas uczty 5 maja 1194 r. i został pochowany w katedrze wawelskiej. Kazimierz Sprawiedliwy był hojnym protektorem Kościoła. Ufundował klasztor cystersów w Sulejowie, wspierał też opactwa w Wąchocku, Jędrzejowie i Koprzywnicy. W 1184 r. sprowadził do Polski relikwie św. Floriana. Książę ufundował (lub dokończył fundację brata Henryka) płytę posadzkową dla kolegiaty w Wiślicy - jeden z najcenniejszych zabytków sztuki romańskiej w Polsce.

Pieczęć katedry krakowskiej z XII wieku

Zjazd w Łęczycy, J. Matejko (ok. 1888)

Leszek Biały

żył w latach: ok. 1186–1227
panował w latach: 1194–1227

Był synem Kazimierza Sprawiedliwego i Heleny Znojemskiej. Po śmierci ojca rozpoczęły się spory o następcę w dzielnicy senioralnej. Przywódcy krakowskich możnych, biskup krakowski Pełka i wojewoda Mikołaj nie zgadzali się na objęcie tronu krakowskiego przez Mieszka III Starego (zgodnie z ustawą sukcesyjną jako najstarszemu z dynastii jemu należała się dzielnica senioralna) i przeforsowali zasadę dziedziczenia tronu w linii zmarłego władcy. W ten sposób 8-letni Leszek Biały został księciem krakowskim. Do czasu pełnoletności rządy miała sprawować jego matka, ale rzeczywista władza spoczęła w rękach możnych. Mieszko próbował siłą zdobyć tron, w końcu doszedł do porozumienia z regentką i do czasu pełnoletności Leszka rządził Krakowem. Po śmierci Mieszka Starego Leszek nie przyjął stawianych mu przez możnych warunków i kolejnym księciem został Władysław Laskonogi. Dopiero po jego wygnaniu Leszek Biały przejął władzę w dzielnicy krakowskiej.

W 1207 r., za zgodą księcia, odbyły się pierwsze w dziejach Polski kanoniczne wybory biskupa. Zgodnie z zaleceniami papieża kapituła miała wybrać kandydata na zarządcę diecezji, a nie, jak dotychczas, książę. Pierwszym kanonicznie wybranym biskupem krakowskim został Wincenty Kadłubek, kronikarz i erudyta, autor Kroniki polskiej. W ten sposób Leszek zapewnił sobie przychylność Kościoła.

Leszek, idąc w ślady ojca, kontynuował aktywną politykę podporządkowania sobie Rusi Halickiej. W 1205 r. rozegrał z księciem ruskim Romanem zwycięską bitwę pod Zawichostem. Wpływy węgierskie na Rusi próbował rekompensować małżeństwem córki swojej Salomei z Kolomanem, synem króla tego kraju. Książę był także aktywny na obszarze północnym; choć wyprawy krzyżowe do Prus nie zakończyły się sukcesem (nawróceniem pogańskich Bałtów), to obsadę Gdańska, początkowo sprzyjającym księciu Świętopełkiem, należy uznać za sukces. W polityce pomorskiej książę pomyślnie próbował tworzyć koalicje z innymi Piastami. Podczas panowania książę usiłował zachować jedność państwa polskiego i dominującą rolę Krakowa.

Zginął na zjeździe monarchów piastowskich w Gąsawie w 1227 r., w zamachu zorganizowanym przez książąt wielkopolskiego i pomorskiego, przeciwstawiających się próbom zjednoczenia większej części kraju. Książę spoczął w katedrze wawelskiej.

Sejm w Gąsawie, J. Matejko
(ok. 1866)

Władysław III Laskonogi

żył w latach: 1161–1231
panował w latach: 1202–1231

Był najmłodszym synem księcia wielkopolskiego Mieszka Starego i księżniczki kijowskiej Eudoksji, którego przypadek (śmierć starszych braci) postawił na czele dzielnicy wielkopolskiej i krakowskiej w 1202 r. Krótkotrwałe, pierwsze rządy Krakowem (do 1206) zakończyły się opuszczeniem miasta. Osamotniony, pozbawiony sojuszników wśród możnych, oddał władzę Leszkowi Białemu. Nie miał jednak szczęścia także do rządów swoją ojcowizną. W Wielkopolsce przez prawie całe życie miał konflikt ze swym bratankiem Odonicem, z którym na przemian wojował i układał się, za cenę wykrojenia części prowincji. Niechętny Laskonogiemu był też kościół wielkopolski, wtedy pod przywództwem arcybiskupa Henryka Kietlicza, emancypujący się spod władzy książęcej. Laskonogi znalazł sojuszników w książętach: Henryku Brodatym i Leszku Białym. Ich układ o przeżycie (Sądowla, 1217) zapowiadał zjednoczenie trzech dzielnic Polski. Nowy rozdział w politycznej karierze Laskonogiego otworzył zamach w Gąsawie (1227). Na bazie wcześniejszego paktu, po śmierci Leszka Białego książę wielkopolski mógł zająć Kraków. Nadał lokalnemu rycerstwu przywilej w Cieni (1228), w którym deklarował poszanowanie dla wcześniej nabytych praw lokalnego możnowładztwa, co mogło przywrócić nadszarpniętą wcześniej w Krakowie reputację księcia. Niedługo cieszył się Krakowem, gdyż równoległa wojna z Odonicem, a także pretendującym do krakowskiego tronu Konradem Mazowieckim doprowadziła do jego śmierci na wygnaniu w Raciborzu w 1231 r.

Laskonogi był typowym przykładem księcia dzielnicowego z przełomu epok. Chciał zachować swój władczy despotyzm, nieumiejętnie negocjując kompromis z dojrzewającym już oporem możnych wobec takiej formy władzy. Znane były jego upodobania do wróżbiarstwa, którym warunkował podejmowanie bardzo wielu politycznych decyzji. Według tradycji Jana Długosza przeszedł do pamięci potomnych jako rozpustnik, zabity przez chłopkę, którą wcześniej usiłował zgwałcić. Jego miejsce pochówku nie jest znane, choć są poszlaki, że spoczywa w klasztorze benedyktynów w Lubiniu.

Pomnik upamiętniający śmierć Leszka Białego w Gąsawie

Władysław III Laskonogi, W.E. Radzikowski

Konrad I Mazowiecki

żył w latach: 1187/1188–1247
panował w latach: 1202–1247

Młodszy syn Kazimierza II Sprawiedliwego po śmierci ojca w 1194 r. pozostawał wraz ze swym bratem, Leszkiem Białym, pod opieką matki. Po podziale dziedzictwa ojca Konrad otrzymał Mazowsze. Rządy pod nadzorem wojewody Krystyna rozpoczął w 1202 r., po śmierci Mieszka Starego. Wkrótce do swoich posiadłości dołączył Kujawy.

Pierwsze lata panowania upłynęły na wspieraniu poczynań starszego brata. Brał udział w walkach z księciem halickim Romanem, pokonanym pod Zawichostem. Na pamiątkę zwycięstwa bracia ufundowali ołtarz świętych Gerwazego i Protazego w katedrze wawelskiej. Książę uczestniczył też w towarzyszących synodom prowincjonalnym zjazdach politycznych w Wolborzu i Borzykowej.

Nad panowaniem Konrada zaciążyła polityka pruska. Pogańscy Prusowie usiłowali stworzyć państwo, łakomym okiem spoglądając na Mazowsze. Granicząca z Prusami dzielnica była areną ciągłych ataków i najazdów. Nie dysponując wystarczającą siłą zbrojną,

Pieczęć Konrada I
Mazowieckiego

Magnaci, trzeci od lewej Konrad Mazowiecki, obok niego żona Agafia, J. Matejko

książę popierał plany chrystianizacji wrogich rejonów. Prace misyjne rozpoczął hojnie uposażony przez księcia mnich cysterski Christian, mianowany przez papieża biskupem misyjnym na terenie Prus. Po straceniu w 1217 r. wojewody Krystyna, odpowiedzialnego za obronę granicy pruskiej, sytuacja Konrada się pogorszyła. Dwie wyprawy krzyżowe przeciwko Prusom nie przyniosły rezultatu. Ostatecznie w 1230 r. przybyli mnisi z Zakonu Szpitala Najświętszej Marii Panny Domu Niemieckiego w Jerozolimie, w Polsce zwani Krzyżakami. Konrad nadał im ziemię chełmińską z obowiązkiem jej ochrony. Wkrótce okazało się, że zakonnicy dążą do zbudowania samodzielnego państwa. Książę Konrad Mazowiecki kilkakrotnie próbował

Pieczęć Konrada I Mazowieckiego

opanować stołeczny Kraków. Ponieważ w starciach zbrojnych z Henrykiem Brodatym (Skała, Międzybórz) nie był w stanie tego zrobić, dopuścił się jego porwania i wymuszenia innych ziem (Sandomierszczyzny i Ziemi Łęczyckiej). Pod koniec życia odniósł klęskę w walce o Kraków pod Suchodołem w starciu z koalicją niechętnych mu możnych krakowskich (m.in. Awdańców i Gryfitów).

Konrad Mazowiecki zmarł w sierpniu 1247 r. i spoczął w katedrze w Płocku. Książę dbał o rozwój gospodarczy swych ziem, dokonał lokacji Płocka, zasiedlał pustkowia w dorzeczu Bugu, ale historiografia krytycznie ocenia jego dalekie od rycerskich formy działania. Dopuszczał się wielu haniebnych czynów, częstokroć wobec osób, którym wiele zawdzięczał.

Krzyżacy

Henryk I Brodaty

żył w latach: 1168–1238
panował w latach: 1201–1238

Był piątym, najmłodszym synem Bolesława I Wysokiego i Krystyny. Około 1192 r. poślubił Jadwigę, córkę Bertolda, hrabiego Diessen-
-Andechs, która w 1267 r. została pierwszą świętą z dynastii piastowskiej.

Henryk był księciem wrocławskim od 1201 r. Rządził z zamku na Ostrowie Tumskim we Wrocławiu. Inną wspaniałą siedzibą książęcą było palatium w Legnicy. Brodaty wzniósł też zamek we Wleniu, jedną z ważniejszych twierdz. Był pierwszym Piastem z linii śląskiej, który w latach 1228–1229 i od 1232 r. władał dzielnicą senioralną, początkowo tocząc walki o tron z Konradem Mazowieckim. Na mocy testamentu Władysława Laskonogiego Brodaty został też władcą Wielkopolski, ale nie osiągnął celu swego życia – zjednoczenia ziem polskich.

Książę Henryk aktywizował się na forum międzynarodowym, nawiązując bezpośrednie relacje ze Stolicą Apostolską, cesarstwem i Królestwem Czeskim. Liczył, że wsparcie międzynarodowe umożliwi mu zdobycie korony królewskiej dla swojego syna Henryka Pobożnego. Henryk Brodaty bardzo dbał o rozwój gospodarczy kraju, popierał lokację miast i osiedli. Wspierał rozwój górnictwa na ziemiach polskich i przeprowadził reformę monetarną. Ściągani przez niego osadnicy (Flamandowie, Walonowie, Niemcy) kolonizowali słabo zaludnione obszary (zwłaszcza Pogórze Sudeckie), tworząc miasta na prawie magdeburskim, które były wyłączone spod jurysdykcji kasztelanów książęcych. W pierwszych latach mieszkańcy nie ponosili kosztów na rzecz panującego, a po zakończeniu wolnizny płacili czynsz w naturze i gotówce. Na tym prawie lokowano m.in. takie miasta jak: Złotoryja, Lwówek Śląski, Wrocław, Środa Śląska. Wraz z małżonką Henryk był fundatorem klasztorów cysterek w Trzebnicy i cystersów w Henrykowie oraz wielu innych świątyń, szczególnie w nowo powstających miastach. Mimo wielu uposażeń na rzecz Kościoła Henryk I Brodaty zmarł w marcu 1238 r. obłożony klątwą (Henryk żądał od Kościoła zwolnienia kolonistów z płacenia dziesięciny). Został pochowany w trzebnickiej bazylice.

Henryk Brodaty z żoną, fragment Legendy św. Jadwigi

Romańska krypta św. Bartłomieja w Trzebnicy

Henryk II Pobożny

żył w latach: 1196/1207–1241
panował w latach: 1238–1241

Był trzecim w kolejności synem księcia śląskiego Henryka I Brodatego. Po śmierci starszych braci młody książę stał się głównym dziedzicem. Około 1217 r. Henryk poślubił Annę, córkę Przemysła I Ottokara, króla czeskiego. W 1222 r. został dopuszczony do rządów, a w 1227 r., gdy Henryk Brodaty odniósł poważne rany na zjeździe w Gąsawie, przejął faktyczną władzę na Śląsku. Po śmierci ojca w 1238 r. został władcą dziedzicznej dzielnicy śląskiej, części Wielkopolski z Kaliszem i Rudą oraz panem na tronie krakowskim. Po ojcu przejął też rządy opiekuńcze w księstwie opolskim i w Sandomierzu. Wkrótce został zmuszony do odparcia ataków armii brandenburskiej na Santok i Lubusz.

W lutym 1241 r. na ziemiach polskich pojawiła się 10-tysięczna armia mongolska. Tatarzy zdobyli Sandomierz i pobili rycerstwo małopolskie w starciach pod Chmielnikiem, Wielkim Turskiem i Tarczkiem. Henryk Pobożny oczekiwał najeźdźców pod Legnicą. 9 kwietnia 1241 r. doszło do słynnej bitwy w pobliżu miejscowości Dobre Pole (obecnie Legnickie Pole), która przyniosła śmierć księcia i klęskę wojsk chrześcijańskich. Książę został pochowany w kościele Franciszkanów we Wrocławiu.

Obrona Legnicy, fragment *Legendy św. Jadwigi*

Henryk Pobożny walczący z Tatarami pod Legnicą, fragment *Legendy św. Jadwigi*

Bolesław V Wstydliwy

żył w latach: 1226–1279
panował w latach: 1243–1279

Był jedynym synem Leszka Białego i Grzymisławy, księżniczki łuckiej. Po śmierci ojca w 1227 r. na zjeździe w Gąsawie rządy w jego imieniu sprawowała matka, potem tron krakowski objął książę wielkopolski, Władysław III Laskonogi. Wstydliwy odzyskał dzielnicę krakowską w 1243 r., odnosząc zwycięstwo nad Konradem Mazowieckim.

Święta Kinga, żona Bolesława V Wstydliwego, M. Jabłoński

Początek rządów w dzielnicy sandomierskiej i krakowskiej związał z Węgrami. Około 1247 r. poślubił w Krakowie Kunegundę (w polskich źródłach zwaną Kingą), córkę króla Beli IV. W następnych latach Bolesław brał udział w sporach między Czechami i Węgrami o schedę po Babenbergach. Prowadził też aktywne działania wobec pogańskich Litwinów i Jaćwingów. Jego panowanie przypadło jednak na niesprzyjający okres – ziemie sandomierska i krakowska były atakowane przez Rusinów, a zimą z 1259 na 1260 r. kraj został spustoszony podczas drugiego najazdu mongolskiego.

Bolesław Wstydliwy dbał o rozwój gospodarczy swojego dziedzictwa. Wydał kilka aktów lokacyjnych miast, w tym przede wszystkim dla Krakowa (1257 r.), Bochni i Jędrzejowa. Dzięki niemu rozbudowano kopalnie soli w Bochni i Wieliczce. Książę miał także wielkie zasługi dla Kościoła. Za jego rządów odbyła się kanonizacja świętego Stanisława. W 1254 r. do Krakowa sprowadził franciszkanów. Był fundatorem kościołów franciszkańskich w Krakowie, Starym Sączu, Nowym Korczynie, wspierał także klasztor Klarysek (żeński zakon o regule franciszkańskiej) w Zawichoście. Zmarł bezpotomnie w grudniu 1279 r. i został pochowany w krakowskim kościele Franciszkanów. Obecnie jego szczątki spoczywają w kaplicy błogosławionej Salomei, siostry księcia. Z czasów Bolesława Wstydliwego i Kingi pochodzi bogato zdobiony tzw. krzyż z diademów. Kanonizacja Kingi odbyła się w 1999 r.

Kościół św. Jana Chrzciciela w Zawichoście

Nagrobek Bolesława Wstydliwego, M. Stachowicz

Leszek Czarny

żył w latach: 1240/1242–1288
panował w latach: 1261–1288

Najstarszy syn Kazimierza I Kujawskiego i Konstancji, córki Henryka II Pobożnego, tron krakowski otrzymał na mocy testamentu Bolesława Wstydliwego, który zmarł bezpotomnie. Leszek, brat Władysława Łokietka, książę łęczycki i sieradzki, objął władzę nad dzielnicą krakowską w 1279 r. Wkrótce musiał stawić czoło najazdowi na Małopolskę Lwa Daniłowicza, księcia halickiego. Wspierany przez siły Tatarów i książąt ruskich Lew dotarł do Sandomierza. Leszek Czarny pobił agresorów w bitwie pod Goślicami, a następnie poprowadził wyprawę odwetową na Ruś. W 1282 r. rozgromił Jaćwingów, kładąc kres ich najazdom, a rok później pobił Litwinów. Trzy lata później rozprawił się z buntem możnowładztwa krakowskiego dowodzonym przez lokalnego biskupa Pawła z Przemankowa, zwyciężając rebeliantów pod Bogucicami koło Bochni.

Leszek Czarny był kolejnym władcą, który dążył do zjednoczenia ziem polskich i wzmocnienia władzy książęcej. Na przełomie 1287 i 1288 r. doszło do kolejnego, trzeciego najazdu mongolskiego na ziemie polskie. Książę stawił co prawda zbrojny opór, ale brak wystarczających sił zmusił go do ucieczki na Węgry. Wojska Nogaja bezskutecznie usiłowały zdobyć Kraków, a armia Telebogi pustoszyła ziemię sandomierską. Przybyłe z odsieczą wojska węgierskie zwyciężyły Mongołów pod Starym Sączem i najeźdźcy opuścili Małopolskę.

Wkrótce potem, we wrześniu 1288 r., Leszek Czarny zmarł. Został pochowany w dominikańskim kościele św. Trójcy w Krakowie. Po jego śmierci rozgorzały walki między książętami piastowskimi o tron krakowski.

Panowanie Leszka Czarnego naznaczyły liczne konflikty zbrojne i bunty możnowładców, które były stanowczo tłumione. Książę szukał poparcia wśród drobnego rycerstwa i mieszczan, nadając im liczne przywileje. Lokował kilka miast, m.in. Wolbórz, Radomsko i Brzeźnicę.

Nie miał też szczęścia w życiu rodzinnym. Jego bezdzietne małżeństwo z księżną Gryfiną, która publicznie obnosiła się ze swym dziewictwem, a nawet pomysłem jego unieważnienia, było powodem wielu konfliktów małżonków.

Gryfina i Leszek Czarny, J. Matejko (ok. 1879)

Przemysł II

żył w latach: 1257–1296
panował w latach: 1273–1296
(król Polski od 1295 r.)

Był synem Przemysła I i Elżbiety, córki Henryka Pobożnego. Urodzony jako pogrobowiec, pozostawał pod opieką matki, a potem stryja Bolesława Pobożnego.

Podobnie jak wielu jego poprzedników, książę poznański dążył do odbudowy państwa polskiego. W 1290 r. zawarł układ z księciem krakowskim Henrykiem IV Probusem, starającym się u papieża o koronację, o zajęciu dzielnicy krakowskiej. Celu jednak nie osiągnął, gdyż został pokonany przez króla czeskiego Wacława II i musiał opuścić Kraków. Przed wyjazdem we wrześniu 1290 r. Przemysł zabrał z wawelskiego skarbca katedralnego insygnia

Śmierć Przemysła II w Rogoźnie, J. Matejko (1875)

koronacyjne, po raz ostatni użyte w 1076 r. podczas koronacji Bolesława Śmiałego w Gnieźnie.

Dalsze działania zmierzające do zjednoczenia ziem polskich oparł na Wielkopolsce. Wysiłki księcia popierał Jakub Świnka, arcybiskup gnieźnieński i wybitny mąż stanu. W 1294 r. władca przyłączył do swych ziem Pomorze Gdańskie, zawierając dwa lata wcześniej układ o przeżycie w Kępnie z lokalnym księciem Mściwojem, a 26 czerwca 1295 r. w Gnieźnie odbyła się koronacja Przemysła II na króla Polski. Mimo że władza nowego króla ograniczała się tylko do dwóch dzielnic, to odnowienie godności królewskiej po prawie 200 latach miało duże znaczenie w wysiłkach zmierzających

do zjednoczenia ziem polskich. Królewskie rządy Przemysła II trwały zaledwie kilka miesięcy. 8 lutego 1296 r. król został zamordowany w Rogoźnie, prawdopodobnie za sprawą wrogich mu rodów Nałęczów i Zarębów, inspirowanych knowaniami margrabiów brandenburskich. Monarcha spoczął w katedrze poznańskiej.

Cieniem na jego koronacji kładzie się niegodny postępek Przemysła II, a mianowicie oskarżenie o bezpłodność i zgładzenie swej żony Ludgardy. W działaniach na rzecz swych poddanych popierał osadnictwo na prawie niemieckim, lokował nowe miasta. Był też protektorem Kościoła, wspierał dominikanów w Poznaniu oraz klaryski w Gnieźnie.

Koronacja Przemysła II

Wacław II

żył w latach: 1271–1305
panował w latach: 1278–1305
(król Polski od 1300 r.,
król Czech od 1297 r.)

Był synem króla Czech Przemysła II Ottokara z dynastii Przemyślidów. Po śmierci ojca pod Suchymi Krutami opiekę nad małoletnim księciem sprawował margrabia brandenburski Otton V Długi, chociaż zabiegał o nią również książę wrocławski, Henryk Probus.

Od 1289 r. Wacław stopniowo rozciągał swoje wpływy na ziemiach Piastów śląskich. Bezpotomna śmierć Leszka Czarnego w 1288 r. otworzyła mu możliwość zawładnięcia Małopolską, ale ubiegł go Henryk Probus. W 1290 r. Wacław wystąpił z roszczeniami do spadku po Probusie, które obejmowały nie tylko księstwo wrocławskie, ale także krakowskie. W tym samym roku z Krakowa wycofał się Przemysł II, który przekazał Wacławowi prawa do Małopolski. Król czeski wkroczył do Krakowa 10 kwietnia 1291 r. – po wyparciu z miasta księcia kujawskiego, Władysława Łokietka, młodszego brata Leszka Czarnego – i przyjął tytuł księcia krakowskiego. Śmierć króla Przemysła II w Rogoźnie umożliwiła Wacławowi II sięgnięcie po schedę po nim. W 1300 r. Wacław zajął Wielkopolskę i w sierpniu tego roku w katedrze gnieźnieńskiej

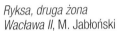

*Ryksa, druga żona
Wacława II*, M. Jabłoński

koronował się na króla Polski. Na czele opozycji przeciwko Wacławowi stanął Władysław Łokietek, popierany przez papieża Bonifacego VIII i króla Węgier, obawiającego się wzrostu potęgi Czech. W 1301 r., po śmierci Roberta, Wacław przyjął koronę węgierską dla swojego syna, której nie zdołał jednak utrzymać w walce z niechętną mu koalicją książąt niemieckich i papieża.

Wacław II zmarł w Pradze w czerwcu 1305 r. Był jednym z najwybitniejszych władców Czech, które za jego czasów przeżyły rozkwit gospodarczy i polityczny. Również dla Polski był to dobry okres – pod jego panowaniem doszło do zjednoczenia ziem polskich, także Pomorza Gdańskiego, ukrócono rozboje, zaczął się rozwijać handel oraz rolnictwo. Wprowadzono zmiany w administracji – powołano urząd starosty, obdarzonego dużymi kompetencjami na swoim terytorium. Król lokował miasta na prawie niemieckim, m.in. Nowy Sącz i Olkusz, a Kraków otoczył murami obronnymi. Niechęć wobec rządów Wacława II w Polsce budziła jednak jego polityka personalna. Opierał się na niemieckich administratorach, a wśród miejscowych elit – wyłącznie na lojalnych mu możnych. Groziło to w przyszłości poważnymi konfliktami narodowościowymi. W spadku pozostawił także – w zasadzie nieodwracalną – zależność lenną książąt śląskich od Czech.

Wacław II Czeski i Wacław III, L. Kohl

Władysław Łokietek

żył w latach: 1260/1261–1333
panował w latach: 1275–1333
(król Polski od 1320 r.)

Młodszy brat Leszka Czarnego przejął
dziedziczne księstwo kujawskie, myślał jednak
o zjednoczeniu wszystkich ziem polskich. W latach
1296-1300 przyłączał do swojej dzielnicy
kolejne obszary: ziemię łęczycką i, po układzie
z Henrykiem Głogowskim, Wielkopolskę oraz
Pomorze Gdańskie. Podczas walk o objęcie tronu
krakowskiego po śmierci Leszka dwukrotnie
zajmował Kraków i dwukrotnie musiał z niego
uciekać. Po raz pierwszy został wypędzony
w 1289 r. przez księcia wrocławskiego Henryka
Probusa, po raz drugi uciekał przed królem
czeskim, Wacławem II. Zawiązał opozycję
przeciwko Wacławowi, zyskując poparcie papieża
i króla węgierskiego.

Do ojczyzny powrócił w 1304 r. Z pomocą armii
węgierskiej opanował Małopolskę, a potem ziemię
sandomierską i łęczycko-sieradzką. W 1306 r.
wkroczył do Krakowa, a jego władzę uznało także

Pomorze Gdańskie, utracone na rzecz Krzyżaków
w 1308 r. W 1311 r. Władysław stłumił rebelię
niemieckich mieszczan pod przywództwem

Władysław Łokietek, J. Matejko

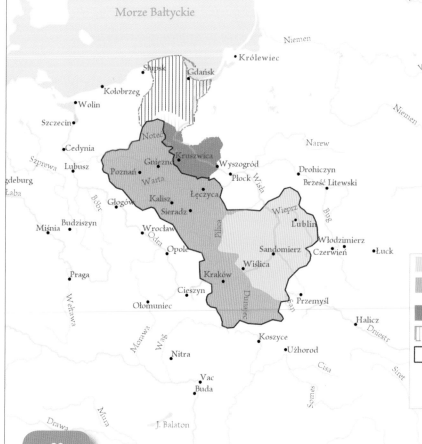

	ziemie Władysława Łokietka w 1305 r.
	ziemie Władysława Łokietka pod koniec panowania (1333 r.)
	ziemie utracone w 1332 r.
	ziemie utracone w 1308 r.
	granice Królestwa Polskiego w 1333 r.

0   250   500 km

Władysław Łokietek na wygnaniu, W. Gerson

Rycerze zakonni atakowali Kujawy i Ziemię Dobrzyńską. Podczas odwrotu do Prus wojska krzyżackie starły się z Polakami pod Płowcami (27 września 1331 r.). Chociaż bitwa nie przyniosła zwycięstwa żadnej ze stron, uważana jest za ważne wydarzenie – samo stawienie oporu zakonowi stało się istotnym elementem propagandy antykrzyżackiej. Władysław Łokietek budował także przeciw przymierzu luksembursko-krzyżackiemu sojusze z Węgrami i Litwą. Ich przypieczętowaniem były małżeństwa Aldony, córki Giedymina, księcia litewskiego, z Kazimierzem, synem Łokietka, i jego córki Elżbiety z królem Węgier Karolem Robertem.

Król Władysław Łokietek zmarł w marcu 1333 r. i spoczął w katedrze wawelskiej.

wójta Alberta w Krakowie, a dwa lata później opanował Wielkopolskę. Będąc władcą dwóch najważniejszych dzielnic, Łokietek rozpoczął starania o uzyskanie korony królewskiej. Wysiłki te poparło rycerstwo oraz możni i wystosowano prośbę do papieża Jana XXII na odnowienie w Polsce królestwa. Koronacja Łokietka i jego żony Jadwigi odbyła się 20 stycznia 1320 r. w Krakowie. Data ta jest uznawana za symboliczny moment zakończenia rozbicia dzielnicowego. Tytułu Łokietka nie uznał Jan Luksemburski, król Czech, spadkobierca Przemyślidów. Następne lata to okres walk z zakonem krzyżackim i Janem Luksemburskim, którzy doszli do porozumienia i wspólnie występowali przeciwko Łokietkowi.

Łokietek zrywa układy z Krzyżakami w Brześciu Kujawskim, J. Matejko (1879 r.)

Bitwa pod Płowcami, J. Kossak

Kazimierz III Wielki

żył w latach: 1310–1370
król Polski w latach: 1333-1370

Najmłodszy syn Władysława I Łokietka i Jadwigi Kaliskiej po śmierci starszych braci jako jedyny spadkobierca zajmował ważne miejsce w planach politycznych ojca.

Kazimierz dokończył jednoczenie państwa, powiększając też jego terytorium. Przyłączenie Rusi Halickiej dawało Polsce kontrolę nad szlakami handlowymi znad Morza Czarnego nad Bałtyk i przynosiło spore zyski z tranzytu towarów między Wschodem i Zachodem. Odzyskał traktatem pokojowym z Krzyżakami w Kaliszu w 1343 r. Kujawy i Ziemię Dobrzyńską. Choć musiał zatwierdzić w układzie z Karolem Luksemburskim utratę większości Śląska, zapewnił sobie jednocześnie władztwo lenne na Mazowszu, które dotychczas było pod wpływami dynastii czeskiej. Próbował wchodzić w koligacje z książętami zachodniego Pomorza, a jednemu z nich (Kaźkowi) przekazał w testamencie swoją ojcowiznę kujawską, licząc na jego udział w walce o tron Polski. Szczególny nacisk król kładł na rozwój gospodarczy – utarło się powiedzenie, że zastał Polskę drewnianą, a zostawił murowaną. Opiekował się miastami, otaczał je murami, z jego inicjatywy wzniesiono też wiele murowanych zamków. Lokował kilka miast, m.in. podkrakowski Kazimierz, Skawinę i Lwów. Za czasów Kazimierza Wielkiego liczba ludności wzrosła prawie trzykrotnie. Król przeprowadził też reformę

Sejm w Wiślicy, K. Smuglewicz

Grosz Kazimierza Wielkiego

Fundacja Akademii Krakowskiej, W.E. Radzikowski

prawną (statuty wiślicko-piotrkowskie) i monetarną oraz kładł nacisk na rozwój handlu. W 1364 r. powołał Akademię Krakowską, pierwszy polski uniwersytet. Czasy panowania Kazimierza to okres wielkiego rozkwitu sztuki gotyckiej na ziemiach polskich. Był fundatorem kolegiaty w Wiślicy, kościołów parafialnych w Niepołomicach, Szydłowie, Stopnicy, Kargowie, kościoła św. Katarzyny w Kazimierzu. Hojnie obdarowywał świątynie wyrobami artystycznymi.

W polityce zewnętrznej był elastyczny, gdyż uważał, że kraj potrzebuje pokoju, by wzmocnić swe podstawy. Był zwolennikiem sojuszu z Węgrami – w 1339 r. w Wyszehradzie Kazimierz zawarł z władcą węgierskim układ, na mocy którego w przypadku braku męskiego potomka tron polski miał przypaść Andegawenom. Niestety wskutek nieudanego małżeństwa z Adelajdą Heską, zabiegów dyplomacji węgierskiej i swojej własnej niefrasobliwości w życiu miłosnym, nie doczekał się legalnego potomka.

Kazimierz Wielki był ostatnim władcą Polski z wielkiej dynastii Piastów. Zmarł w listopadzie 1370 r. na Wawelu i został pochowany w katedrze wawelskiej.

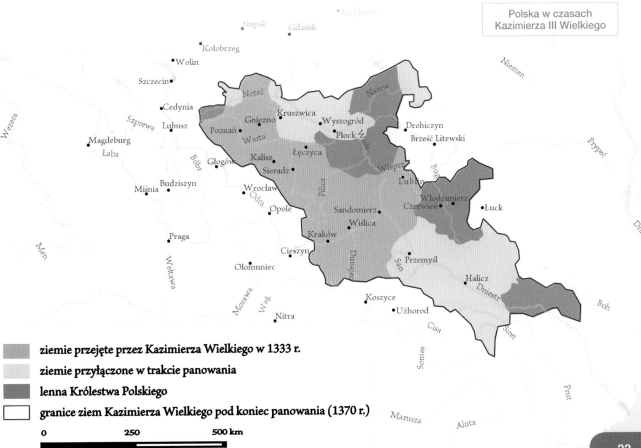

Polska w czasach Kazimierza III Wielkiego

ziemie przejęte przez Kazimierza Wielkiego w 1333 r.

ziemie przyłączone w trakcie panowania

lenna Królestwa Polskiego

granice ziem Kazimierza Wielkiego pod koniec panowania (1370 r.)

0   250   500 km

Ludwik Węgierski

żył w latach: 1326–1382
panował w latach: 1342–1382
(król Polski od 1370 r.)

Król Węgier – Ludwik I Wielki, był synem Karola I Roberta i Elżbiety, córki Władysława Łokietka. Władcą Polski został na mocy zawartego w 1339 r. w Wyszehradzie porozumienia między Kazimierzem III Wielkim i Karolem I Robertem, założycielem węgierskiej dynastii andegaweńskiej. Został koronowany w 1370 r. w Krakowie i rządził w Polsce głównie za pośrednictwem matki, Elżbiety Łokietkówny. Była zaufanym współpracownikiem Ludwika, pełniła w jego imieniu wiele ważnych misji dyplomatycznych i oprócz Polski była regentką w Dalmacji i Bośni.

Z powodu braku męskich potomków Ludwik zabiegał o tron polski dla swojej córki i dlatego czynił wiele ustępstw na rzecz szlachty. W 1374 r. wydał w Koszycach przywilej, który w zamian za zgodę polskich możnych i rycerstwa na sukcesję jednej z królewskich córek obniżył wymiar obowiązkowego podatku gruntowego. Ludwik obiecywał także niepowoływanie rycerstwa na wyprawy poza granice kraju, a gdyby do tego doszło, zobowiązywał się do pokrycia wszystkich kosztów. Przywilej stał się podstawą swobód i politycznej siły polskiej szlachty. W 1381 r. podobne prawa przyznał duchowieństwu.

Ludwik Węgierski zmarł we wrześniu 1382 r. w Tyrnawie i został pochowany w katedrze w Białogrodzie Węgierskim. Mimo silnych tendencji separatystycznych w Wielkopolsce pozostawił Polskę jako kraj zjednoczony. Miał duże zasługi w rozwoju gospodarczym, rozwijał handel w miastach, przede wszystkim w Krakowie, Nowym Sączu, Kaliszu i Olkuszu. Jednak w opinii znanego kronikarza, Janka z Czarnkowa, czasy jego panowania nie były stabilne, a panoszenie się w Polsce Władysława Opolczyka, potem Zygmunta Luksemburczyka budziło coraz powszechniejszy opór możnych. W historii Węgier jako jedyny monarcha nosił przydomek „Wielki" i jest uważany za jednego z najwybitniejszych władców. Za jego rządów Węgry były liczącą się w Europie potęgą polityczną.

Elżbieta Łokietkówna z dziećmi

Ludwik I Węgierski w otoczeniu dostojników, *Kronika ilustrowana*

Jadwiga Andegaweńska

żyła w latach: 1373 lub 1374–1399
król Polski w latach: 1384–1399

Była najmłodszą córką Ludwika Węgierskiego i Elżbiety Bośniaczki. Po śmierci ojca w 1382 r. starsza siostra Maria została królową Węgier, a Jadwidze przeznaczono tron polski – co według polskich możnowładców, szczególnie z terenu Małopolski, było lepszym rozwiązaniem. W 1384 r. królewna przyjechała do Krakowa, a trzy dni później została koronowana na króla Polski (był to pierwszy w dziejach Polski przypadek, że kobieta została koronowana na króla, a nie na królową).

Jako dziecko Jadwiga została zaręczona z Wilhelmem Habsburgiem, jednak polscy panowie starali się o zerwanie umowy, gdyż myśleli o związku dynastycznym z Litwą, co mogłoby zjednoczyć oba kraje w walce przeciwko Krzyżakom. Efektem wspólnych celów było poselstwo wielkiego księcia litewskiego do Krakowa w 1385 r. Jagiełło zaoferował unię personalną, zobowiązał się do przyjęcia chrztu przez Litwę oraz połączenia ziem polskich, litewskich i ruskich. Po podpisaniu w sierpniu 1385 r. umowy o unii polsko-litewskiej oraz przyjęciu przez Jagiełłę chrztu (15 lutego 1386 r.), 18 lutego 1386 r. w katedrze wawelskiej odbył się ślub Jadwigi z litewskim władcą, a 4 marca jego koronacja. Jadwiga była bardzo zaangażowana w chrzest Litwinów. Organizowała dla nowych kościołów wyposażenie i kształciła na własny koszt w Pradze przyszłych duchownych z Litwy. Za wszelką cenę chciała uniknąć wojny z zakonem krzyżackim, podejmując dyplomatyczne próby złagodzenia nieprzychylnego monarchini i Jagielle, antypolskiego kursu w polityce Malborka.

Wspólne rządy królewskich małżonków przerwała śmierć Jadwigi w lipcu 1399 r. Monarchini została pochowana w katedrze wawelskiej. Jadwiga odnowiła Akademię Krakowską i na jej rzecz przeznaczyła swój majątek osobisty. Była też hojną fundatorką Kościoła. Dzięki jej wsparciu powstał m.in. klasztor Karmelitów w Krakowie oraz ołtarze św. Anny i Nawiedzenia NMP w katedrze na Wawelu. Była bardzo religijna, cieszyła się wielkim szacunkiem i sympatią. Doprowadziło to do kanonizacji Andegawenki w czerwcu 1996 r. Relikwie świętej spoczywają na ołtarzu pod Wielkim Krucyfiksem w katedrze wawelskiej.

Kazimierz Wielki, Jadwiga Andegaweńska i Władysław Jagiełło,
J. Matejko,

Jadwiga w Krakowie zyskuje Litwę
dla Kościoła i Polski, F. Felder

Władysław II Jagiełło

żył w latach: 1351–1434
król Polski w latach: 1386–1434
(wielki książę Litwy: 1377–1392)

Był synem wielkiego księcia litewskiego Olgierda i w 1377 r. został jego następcą. W 1386 r. Jagiełło przyjął chrzest i poślubił Jadwigę Andegaweńską. Koronacja Władysława na króla Polski rozpoczęła nową – jagiellońską epokę w historii kraju. Unia Polski i pogańskiej Litwy miała ważny, polityczny cel – powstrzymanie ekspansji zakonu krzyżackiego.

Początek panowania Jagiełły w Polsce naznaczyły konflikty z Litwą. Próba połączenia obu krajów nie powiodła się. Na mocy ugody w Ostrowie w 1392 r. Witold uzyskał faktyczną władzę na Litwie. Jej zakres i stopień unii z Polską zmieniały się wielokrotnie. W 1401 r. unia wileńsko-radomska dała Witoldowi tytuł wielkiego księcia, a Jagiełło został jego władcą zwierzchnim. Konflikt o tron litewski toczył się także po śmierci Witolda (1430).

Panowanie Jagiełły to okres nasilonego sporu z Krzyżakami, którzy, nie uznając unii obu państw, nie zrezygnowali z najazdów na ziemie litewskie. Gdy doszło do konfliktu o Żmudź, a Polska stanęła po stronie Litwy, w 1409 r. wybuchła tzw. wielka wojna. Wojska polsko--litewskie 14 lipca 1410 r. pokonały Krzyżaków w historycznej bitwie pod Grunwaldem, ale później nie udało im się zdobyć Malborka, stolicy zakonu. W lutym 1411 r. zawarto pokój w Toruniu, który oddawał Polsce tylko ziemię

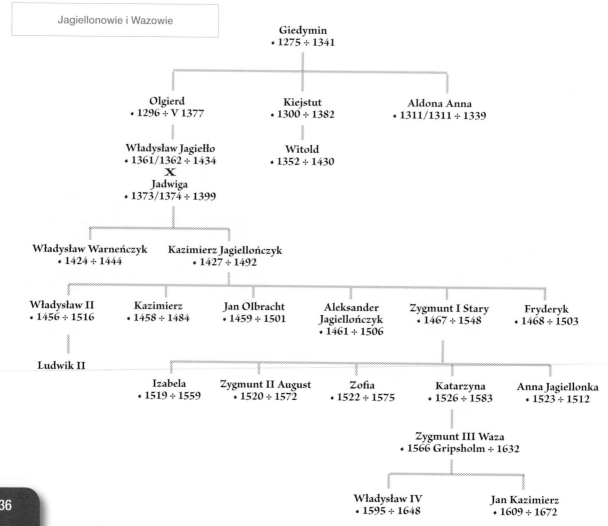

Jagiellonowie i Wazowie

Giedymin
• 1275 ÷ 1341

Olgierd
• 1296 ÷ V 1377

Kiejstut
• 1300 ÷ 1382

Aldona Anna
• 1311/1311 ÷ 1339

Władysław Jagiełło
• 1361/1362 ÷ 1434
X
Jadwiga
• 1373/1374 ÷ 1399

Witold
• 1352 ÷ 1430

Władysław Warneńczyk
• 1424 ÷ 1444

Kazimierz Jagiellończyk
• 1427 ÷ 1492

Władysław II
• 1456 ÷ 1516

Kazimierz
• 1458 ÷ 1484

Jan Olbracht
• 1459 ÷ 1501

Aleksander Jagiellończyk
• 1461 ÷ 1506

Zygmunt I Stary
• 1467 ÷ 1548

Fryderyk
• 1468 ÷ 1503

Ludwik II

Izabela
• 1519 ÷ 1559

Zygmunt II August
• 1520 ÷ 1572

Zofia
• 1522 ÷ 1575

Katarzyna
• 1526 ÷ 1583

Anna Jagiellonka
• 1523 ÷ 1512

Zygmunt III Waza
• 1566 Gripsholm ÷ 1632

Władysław IV
• 1595 ÷ 1648

Jan Kazimierz
• 1609 ÷ 1672

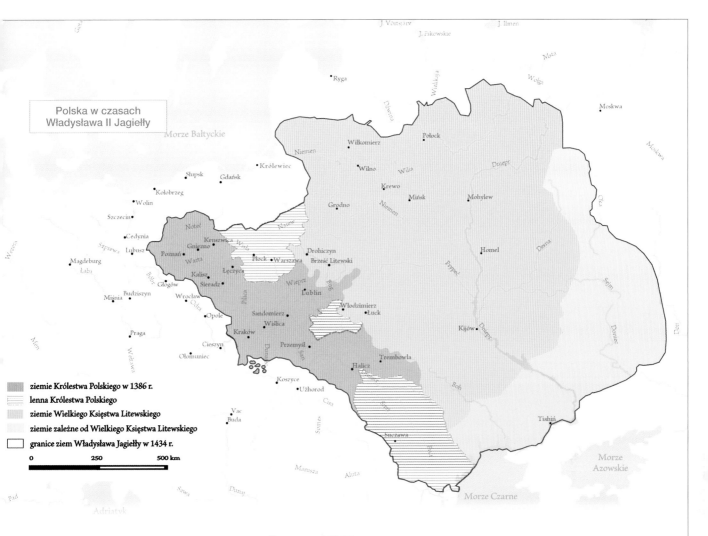

Polska w czasach Władysława II Jagiełły

ziemie Królestwa Polskiego w 1386 r.

lenna Królestwa Polskiego

ziemie Wielkiego Księstwa Litewskiego

ziemie zależne od Wielkiego Księstwa Litewskiego

granice ziem Władysława Jagiełły w 1434 r.

0   250   500 km

dobrzyńską, a Litwie – warunkowo Żmudź. Konflikt z Krzyżakami trwał jeszcze wiele lat i przyjmował także postać konfrontacji dyplomatycznej, jak choćby wystąpienie Pawła Włodkowica, rektora Akademii Krakowskiej, przeciw zakonnym sposobom nawracania pogan, na soborze w Konstancji w 1415 r.

Ożywione były też w okresie jego panowania kontakty polsko-czeskie, a to za sprawą rozwijającego się tam ruchu husyckiego. Pomimo że król edyktem wieluńskim (1424), nałożył na wyznawców nowej religii dotkliwe sankcje, a za sprawą ofiarowania mu korony czeskiej, przeciw znienawidzonemu tam Zygmuntowi Luksemburczykowi, żywo interesował się sytuacją w Pradze, sugerując husytom kandydatów litewskich.

Pod koniec życia król zabezpieczył tron polski dla starszego syna Władysława, nadając za jego uznanie cenne dla szlachty przywileje generalne w Czerwińsku (1422) i Jedlni (1430), m.in. prawo do nietykalności dóbr i osoby szlachcica.

Władysław II Jagiełło zmarł w 1434 r. w Gródku pod Lwowem, a pochowano go

Pieczęć
Władysława Jagiełły

w katedrze wawelskiej. Był jednym z najwybitniejszych polskich władców. Król odnowił Akademię Krakowską, był także hojnym fundatorem Kościoła, zapewnił m.in. środki materialne jasnogórskiemu klasztorowi Paulinów, a potem sfinansował renowację cudownego obrazu Matki Boskiej Częstochowskiej.

Oblężenie Malborka przez Jagiełłę i Witolda w roku 1410

Władysław III Warneńczyk

żył w latach: 1424–1444
król Polski w latach: 1434–1444
(król Węgier od 1440 r.)

Był najstarszym synem Władysława II Jagiełły
i jego czwartej żony, Zofii (Sonki) Holszańskiej,
księżniczki ruskiej. Po śmierci ojca 10-letni
Władysław został wybrany na króla
Polski i koronowany w Krakowie 25 lipca
1434 r. Właściwe rządy sprawowała
jednak rada koronna, na czele której
stał biskup Zbigniew Oleśnicki.

Prawa młodego króla
do zwierzchnictwa nad Litwą zostały
uznane przez bojarów. W opozycji
stanął jedynie Świdrygiełło, który
sprzymierzył się z Krzyżakami. Wojska
litewsko-krzyżackie poniosły klęskę w bitwie pod
Wiłkomierzem nad rzeką Świętą i wystąpienie
zakończył wieczysty pokój z Polską podpisany
w Brześciu Kujawskim 31 grudnia 1435 r.

W grudniu 1438 r. Władysław III został
uznany przez szlachtę za pełnoletniego i przejął
władzę królewską. Nie oznaczało to jednak
utraty pozycji Oleśnickiego, który po rozwiązaniu
rady królewskiej miał jeszcze większy wpływ
na podejmowanie decyzji dotyczących
polityki. Sytuacja ta spowodowała powstanie
opozycji dowodzonej przez Spytka z Melsztyna
i popieranej przez matkę króla. Zakończyła
ją klęska przeciwników i śmierć Spytka w bitwie
pod Grotnikami
w 1439 r.

Na Węgrzech
po śmierci
Albrechta V
Habsburga
w 1439 r. trwał
spór o tron. Węgry,
już wówczas
zagrożone agresją
turecką, liczyły,
że powiązanie
z Jagiellonami
zapewni im
ochronę.
17 lipca 1440 r.
Władysław III

Pieczęć Władysława
Warneńczyka

został koronowany na króla
w Białogrodzie, stolicy koronacyjnej
królów węgierskich. Jednak walki
o habsburskie prawa do tronu trwały
do końca 1442 r.

Pomimo sprawnego
odparcia przez Jana
Hunyadego zagrażającej
wówczas Węgrom Turcji (pokój szegedyński),
młody król, inspirowany przez legata papieskiego
Cesariniego, zerwał zawarty pokój i wyruszył
przeciw Porcie. Do decydującej bitwy doszło
10 listopada 1444 r. pod Warną. Przewaga
liczebna była po stronie tureckiej, a bitwa
skończyła się klęską wojsk chrześcijańskich. Młody
król zginął, a jego ciała nigdy nie odnaleziono.

Nagrobek Zbigniewa z Oleśnicy

Fragment *Bitwy pod Warną*, J. Matejko (1879)

Kazimierz IV Jagiellończyk

żył w latach: 1427–1492
król Polski w latach: 1447–1492
(wielki książę Litwy: 1440–1492)

Był trzecim synem Władysława Jagiełły i Zofii Holszańskiej. W 1438 r. został wybrany przez czeskich husytów na króla Czech. Wybór był związany z antyniemiecką polityką husytów, którzy chcieli uniknąć objęcia tronu przez Albrechta Habsburga. Dwie wyprawy polskie w latach 1438–1439, które miały pomóc Kazimierzowi w objęciu tronu, zakończyły się klęską i królewicz zrezygnował z walki o koronę czeską.

W 1440 r. Kazimierz został wielkim księciem litewskim, a jego rządy uspokoiły sytuację wewnętrzną w tym kraju. Po śmierci brata Władysława III w bitwie z Turkami pod Warną panowie polscy zaproponowali Kazimierzowi objęcie tronu. 25 czerwca 1447 r. w katedrze wawelskiej odbyła się koronacja nowego króla Polski. Od tej chwili Kazimierz stał się władcą dwóch suwerennych krajów.

Podczas swych rządów Kazimierz ograniczył wpływy kardynała Oleśnickiego i związanych z nim panów. Prowadził aktywną politykę dynastyczną, dzięki której jego syn Władysław został w 1471 r. królem czeskim, a w 1490 r. królem Węgier. W 1454 r. król aktem inkorporacji Prus do Polski rozpoczął wojnę 13-letnią z zakonem krzyżackim. Pomimo nienajlepszego początku (klęska pod Chojnicami), przejął inicjatywę wojenną (bitwa pod Żarnowcem) i zdołał na mocy pokoju toruńskiego (1466) zająć ziemię chełmińską, Warmię i Pomorze Gdańskie, otwierając tym samym okres upadku państwa zakonnego (reszta ziem krzyżackich stała się lennem Polski). Powrót Polski nad Bałtyk z bogatymi miastami (m.in. Gdańskiem)

Pieczęć Kazimierza Jagiellończyka

znacznie wpłynął na polski handel międzynarodowy w XV–XVI w. Z jednej strony król Kazimierz umocnił władzę monarszą (zapewniając sobie prawo mianowania biskupów) z drugiej jednak, nadając szlachcie przywilej cerekwicko-nieszawski (1454), umożliwił ingerencję tego stanu w uprawnienia monarsze (do nakładania podatków i pospolitego ruszenia).

Długie rządy Jagiellończyka sprzyjały rozwojowi gospodarczemu i kulturalnemu. Król był mecenasem sztuki oraz opiekunem Akademii Krakowskiej. Umożliwił Witowi Stwoszowi prace nad ołtarzem dla kościoła Mariackiego. Sprowadził do Polski Kallimacha, wybitnego humanistę. Inną znamienitą postacią w otoczeniu króla był Jan Długosz, uczony i historyk.

Kazimierz Jagiellończyk zmarł w Grodnie w czerwcu 1492 r. i został pochowany w kaplicy św. Krzyża w katedrze na Wawelu.

Kazimierz Jagiellończyk i Elżbieta Rakuszanka, J. Matejko

Jan I Olbracht

żył w latach: 1459–1501
król Polski w latach: 1492–1501

Trzeci syn Kazimierza Jagiellończyka i Elżbiety Rakuszanki wraz z braćmi pobierał nauki u wybitnych humanistów - Filipa Kallimacha oraz Jana Długosza. Wyznaczony na tron polski przez ojca, został koronowany 23 września 1492 r. w katedrze na Wawelu.

W grudniu 1492 r. zawarł traktat z bratem Władysławem, królem Węgier, zapewniający ochronę przed intrygami Maksymiliana Habsburga. Współpracował też z bratem Aleksandrem, który objął rządy na Litwie. Przeprowadził reformy wzmacniające pozycję szlachty - wydane w 1496 r. statuty piotrkowskie zapewniały m.in. dostęp do wyższych dostojeństw kościelnych wyłącznie szlachcie, zakazywały mieszczanom nabywania dóbr ziemskich i ograniczały migrację chłopów ze wsi.

Początki rządów Jana Olbrachta były pomyślne. Rozpoczęto tworzenie dwuizbowego sejmu walnego (pierwsze obrady w 1493 r.). Rok później król kupił i przyłączył do Polski księstwo zatorskie. W 1495 r. odziedziczył księstwo płockie, żywo interesował się sprawami Śląska.

W 1497 r. pod pozorem odzyskania zajętych przez Turcję portów czarnomorskich: Kilii i Białogrodu, król planował opanować Mołdawię i osadzić na jej tronie królewicza Zygmunta. Wyprawa zakończyła się klęską w lasach bukowińskich i wielkimi stratami wśród wojsk zdradzonego przez lenników Olbrachta. Dodatkowym aspektem tej porażki było osłabienie autorytetu króla, choć winę za klęskę trzeba by przypisać nieudolnemu pospolitemu ruszeniu.

Po przejściowym załamaniu i chorobie władca ponowił zabiegi zabezpieczające granice kraju. W 1499 r. podpisał traktat sojuszniczy z Węgrami i pokój z Mołdawią. Zawarł rozejm z sułtanem tureckim, a w latach 1500–1501 powstrzymał najazdy tatarskie. Rozpoczął przygotowania do wojny z Krzyżakami, które przerwała choroba i nagła śmierć króla w Toruniu w czerwcu 1501 r. Ciało Jana I Olbrachta złożono w kaplicy Bożego Ciała w katedrze wawelskiej.

Jan Fredro wybawia Jana Olbrachta w Bukowinie, J. Kossak

Pieczęcie Jana Olbrachta

Aleksander Jagiellończyk

żył w latach: 1461–1506
król Polski w latach: 1501–1506
(wielki książę Litwy: 1492–1506)

Był czwartym synem Kazimierza Jagiellończyka i Elżbiety Rakuszanki. W 1492 r. został wielkim księciem litewskim, a po śmierci brata, Jana Olbrachta – królem Polski.

Jako władca Litwy Aleksander toczył wojny z Moskwą. Z powodu strat poniesionych przez Polskę podczas najazdu mołdawskiego w 1502 r. oraz nawoływania przez papiestwo do udziału w wojnie z Turcją, w marcu 1503 r. na Kremlu zawarto rozejm z Iwanem III. Chcąc uniknąć najazdów tureckich, pustoszących Litwę i Koronę, w październiku 1502 r. monarcha przedłużył rozejm z Turcją. W czasach

Pieczęć Aleksandra Jagiellończyka

panowania Aleksandra Jagiellończyka podjęto próbę sojuszu ze Szwecją o wyraźnie antyrosyjskim ostrzu, a także, nieskutecznie, próbowano zmusić wielkiego mistrza zakonu krzyżackiego do złożenia należnego królowi hołdu (Krzyżacy kwestionowali już wówczas zapisy traktatu toruńskiego).

Aleksander rozpoczął rządy od wydania przywileju mielnickiego (1501), który przyznawał senatowi, obradującemu pod zwierzchnictwem władcy, wyłączność w podejmowaniu najważniejszych decyzji w kraju. Ten gest w kierunku możnych spowodował sprzeciw szlachty. Proponowała ona wprowadzenie zakazu łączenia stanowiska i godności w jednej osobie oraz opowiadała się za udziałem izby poselskiej w rządach. Zapewniła to posłom konstytucja *Nihil novi* (*Nic nowego*) uchwalona na sejmie w Radomiu w 1505 r. W jej postanowieniach zapisano, że król i jego następcy nie mogą ustanawiać nowych praw i wydawać ustaw bez jednoczesnej zgody senatu i posłów ziemskich. W ten sposób stworzono nowy system parlamentarny, zwany demokracją szlachecką, oparty na trzech stanach: królu, izbie poselskiej i senacie.

Długa podróż do Wilna w 1506 r., gdzie planowano zawarcie pokoju z Wasylem III, następcą Iwana III, spowodowała pogorszenie stanu zdrowia władcy. Mając na uwadze dobro kraju, król na obradach sejmu litewskiego w Lidzie wyznaczył na swojego następcę brata Zygmunta. Wkrótce najazd tatarski zmusił go do wyjazdu do Wilna, gdzie zmarł w sierpniu 1506 r. i spoczął w miejscowej katedrze.

Koronacja Aleksandra Jagiellończyka, pontyfikał Erazma Ciołka

41

Zygmunt I Stary

żył w latach: 1467–1548
król Polski w latach: 1507–1548
(wielki książę Litwy: 1506–1548)

Był najmłodszym synem
Kazimierza Jagiellończyka
i Elżbiety Rakuszanki.
Po nieudanych próbach
zdobycia tronu mołdawskiego
przebywał na węgierskim
dworze u brata. W 1500 r.
został księciem głogowskim,
a po 1504 objął namiestnictwo
na Śląsku. W 1506 r., po śmierci brata
Aleksandra, przyjął tytuł wielkiego
księcia litewskiego, a 24 stycznia 1507 r.
na Wawelu koronowano go na króla Polski.

Pierwsze lata jego panowania zdominowały
wojny z Moskwą, które trwały aż do 1537 r.
Bohaterem wojny był hetman wielki litewski
Konstanty Ostrogski, zwycięzca bitwy pod Orszą
w 1514 r. Niestety, bilans wojen z Moskwą nie był
korzystny dla Litwy (utrata Smoleńszczyzny).
Udało się jednak poskromić skłonnego
do utrzymania w rękach mołdawskich Pokucia
hospodara Petryłę, odnosząc jednoznaczne
zwycięstwo w bitwie pod Obertynem w 1531 r.

Pieczęć Zygmunta I Starego

Kolejnym problemem była
kwestia krzyżacka. Przez kilka
lat Zygmunt usiłować dojść
do porozumienia z zakonem.
Kiedy jednak w 1517 r. Albrecht
Hohenzollern zawarł sojusz
z Moskwą, wybuchła
wojna, która zakończyła
się zwycięstwem
Polaków. Zawarto jednak niekorzystny dla Polski
rozejm, więc szlachta zażądała nowej wojny.
Albrecht, w obawie przed wybuchem konfliktu,
zdecydował się sekularyzować zakon i zostać
lennikiem Polski. Hołd pruski odbył się 10 kwietnia
1525 r. Na panowanie Zygmunta Starego

Bitwa pod Orszą

przypada habsburska ofensywa na jagiellońskie państwa rządzone przez Władysława II Jagiellończyka: Czechy i Węgry. Niespójność polityki dynastycznej Jagiellonów doprowadziła do sojuszu Władysława II Jagiellończyka z cesarzem Maksymilianem Habsburgiem w Wiedniu w 1515 r. Obecny na zjeździe Zygmunt Stary musiał zadowolić się mglistymi obietnicami wsparcia Habsburgów przeciw Moskwie, przez co sukcesja polskiej rodziny jagiellońskiej w Czechach i na Węgrzech wyraźnie się komplikowała.

Drugą – po Barbarze Zapolyi – żoną Zygmunta została Bona Sforza, księżniczka mediolańska, która miała duży wpływ na polską politykę. Z powodu jej zaangażowania, ale i innych postulatów szlacheckich, król miał konflikt z ruchem egzekucyjnym (przedstawiciele średniej szlachty), który dojrzewał w okresie jego panowania do odgrywania większej roli w rządzeniu państwem. Jego kulminacją była tzw. wojna kokosza – rokosz antykrólewski w 1537 r. Król przyłączył do Polski resztę Mazowsza z Warszawą.

Zygmunt I Stary zmarł w Krakowie 1 kwietnia 1548 r. Pochowany został na Wawelu w kaplicy Zygmuntowskiej.

Nagrobki Zygmunta I Starego i Zygmunta Augusta

Dokonania Zygmunta Starego w zakresie architektury i mecenatu sztuki były imponujące. W czasie jego panowania m.in przeprowadzono przebudowę Wawelu, wzniesiono kaplicę Zygmuntowską i odlano dzwon Zygmunt. Dwór królewski był pulsującym ośrodkiem myśli, nauki i sztuki. W tej epoce Mikołaj Kopernik stworzył dzieło *O obrotach sfer niebieskich*, a sam król korespondował z Erazmem z Rotterdamu. Język polski zaczął dominować w literaturze i polityce, rósł poziom wykształcenia magnatów i szlachty. Państwo polskie było potężne i niezagrożone.

Zygmunt I Stary i Bona Sforza d'Argona, J. Matejko (1888)

Zygmunt II August

żył w latach: 1520–1572
król Polski i wielki książę Litwy
w latach: 1548–1572
(nominalnie od 1529 r.)

Jako jedyny męski spadkobierca Jagiellonów Zygmunt August w wieku dziewięciu lat został wielkim księciem litewskim. W 1529 r. Zygmunt I Stary za namową żony, Bony Sforzy, doprowadził do elekcji *vivente rege* (za życia króla) swojego syna. Koronacja młodego władcy odbyła się 20 lutego 1530 r., ale właściwe rządy August objął w 1548 r., po śmierci ojca.

Król wspierał utworzony przez szlachtę reformatorski ruch egzekucji praw, co pozwoliło na uregulowanie sytuacji królewszczyzn (dóbr państwa polskiego). Za jego czasów powstała też stała armia – wojsko kwarciane. Był władcą tolerancyjnym, nie dopuszczał do prześladowań i wojen religijnych. Skłonny był rozważać utworzenie w Polsce kościoła narodowego, ale na polski sobór powszechny nie zezwoliło ostatecznie papiestwo.

Większość czasu spędzał na Litwie, co było spowodowane zagrożeniem ze strony Moskwy. Był też zmuszony przeciwstawiać się polityce dynastycznej Habsburgów. Po śmierci pierwszej żony poślubił Barbarę Radziwiłłównę i doprowadził do jej koronacji, co było sprzeczne z interesami dynastii i racją stanu. Wkrótce jednak Barbara zmarła i król ożenił się z Katarzyną Habsburżanką.

Z powodu braku potomstwa Zygmunt August dążył do utrwalenia związków Polski i Litwy. Udało się to osiągnąć dzięki unii realnej zawartej przez szlachtę polską i litewską w Lublinie w 1569 r. Dało to początek Rzeczpospolitej Obojga Narodów. Monarcha przywiązywał wielką wagę do spraw morskich i budowy floty. Największym konfliktem podczas jego panowania była bez wątpienia wojna północna. Rozpad państwa zakonnego w Inflantach doprowadził najpierw do podporządkowania ich Polsce (układ wileński, 1561), a następnie do otwartego konfliktu o tę bogatą część nadbałtyki

Śmierć Zygmunta II Augusta w Knyszynie, J. Matejko

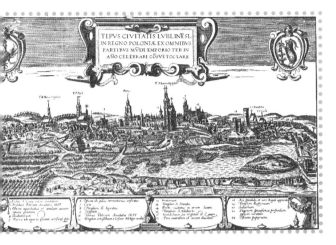

XVI-wieczny Lublin

Elżbieta Habsburżanka i Barbara Radziwiłłówna,
pierwsza i druga żona Zygmunta Augusta, Racinet

z Rosją i Szwecją. Ostatecznie w 1570 r. Inflanty
uległy rozbiorowi, ale najważniejszą ich część
z Rygą obroniła Polska, utrzymując także w swych
rękach lenno kurlandzkie.

Zygmunt August zmarł nagle w lipcu
1572 r. w Knyszynie, dokąd wyjechał z powodu
szalejącej w Warszawie zarazy. Spoczął
na Wawelu, w kaplicy Zygmuntowskiej.

Monarcha był wszechstronnie wykształconym
człowiekiem renesansu, protektorem sztuki
i nauki. Na dworze królewskim gościli znani
uczeni i pisarze, m.in. Jan Kochanowski i Andrzej
Frycz Modrzewski. Zygmunt rozbudował Zamek
Królewski w Warszawie i zamek wileński. Był
znanym kolekcjonerem klejnotów i obrazów, a jego
biblioteka należała do najwspanialszych w Europie.

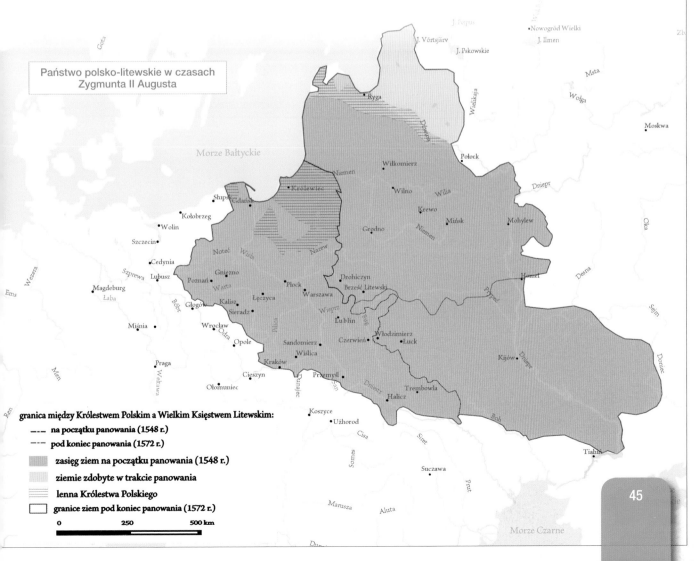

Państwo polsko-litewskie w czasach
Zygmunta II Augusta

granica między Królestwem Polskim a Wielkim Księstwem Litewskim:

--- na początku panowania (1548 r.)

--- pod koniec panowania (1572 r.)

zasięg ziem na początku panowania (1548 r.)

ziemie zdobyte w trakcie panowania

lenna Królestwa Polskiego

granice ziem pod koniec panowania (1572 r.)

0   250   500 km

Henryk III Walezy

żył w latach: 1551–1589
król Polski w latach: 1573–1575
(król Francji: 1574–1589)

Był synem króla Francji Henryka II i Katarzyny Medycejskiej. Pochodził z dynastii Walezjuszy.

Henryk był pierwszym królem wybranym w wolnej elekcji szlachty obradującej w 1573 r. Z tej okazji zostały spisane tzw. artykuły henrykowskie, w których zawarto podstawy ustroju Rzeczypospolitej, m.in. podkreślono nadrzędną rolę sejmu. Od tej pory każdy władca obejmujący tron Polski musiał je podpisywać. Drugim ważnym dokumentem spisywanym na sejmach elekcyjnych były *pacta conventa*, czyli osobiste zobowiązania króla względem szlachty i kraju.

Henryk Walezy został koronowany 21 lutego 1574 r. w katedrze wawelskiej w Krakowie. Szybko stało się jasne, że wybór Francuza był błędem. Już podczas sejmu koronacyjnego Henryk pokazał szlachcie i senatorom, że zamierza prowadzić własną politykę, która niekoniecznie odpowiadałaby sprawom Polski. Planował oprzeć swoją władzę na silnym stronnictwie katolickim oraz ograniczyć rolę szlachty i sejmików ziemskich. Prowadził szczególną politykę rozdawania urzędów, wykorzystał też konflikt między senatem a sejmem oraz nie dopuścił do zatwierdzenia swoich zobowiązań spisanych

w *pacta conventa* i artykułach henrykowskich. Nie podobały mu się polskie obyczaje, a Polakom obyczaje Henryka i jego świty, w której znajdowali się głównie Francuzi. W polityce zagranicznej król opierał się na dyplomacji francuskiej.

W maju 1574 r. jego rządy przerwała wiadomość o śmierci Karola IX, króla Francji. Z powodu trudnej sytuacji w rodzinnym kraju Walezy zdecydował się na potajemny wyjazd, by objąć tron po zmarłym bracie. Ucieczka zrobiła bardzo złe wrażenie, chociaż Henryk nie miał zamiaru zrzekać się polskiej korony. Na jego powrót Polacy czekali prawie rok. W maju 1575 r. na zjeździe w Stężycy podjęto decyzję o detronizacji Henryka Walezego. Jako król Francji sprawował rządy przez 15 lat. Zmarł zasztyletowany w 1589 r. i spoczął w bazylice Saint Denis w Paryżu.

Ucieczka Henryka Walezego z Polski, A. Grottger

Stefan Batory

żył w latach: 1533–1586
król Polski w latach: 1576–1586
(książę Siedmiogrodu: 1571–1586)

Był najmłodszym synem księcia siedmiogrodzkiego Stefana VI Batorego i Anny Katarzyny Thelegdi. Od 1571 r. był księciem Siedmiogrodu, w Polsce został następcą Henryka Walezego. W lutym 1576 r. podpisał przedstawione mu *pacta conventa*. Warunkiem koronacji był ślub Batorego z Anną Jagiellonką, siostrą Zygmunta II Augusta. Zaślubiny i koronacja odbyły się 1 maja 1576 r. w katedrze na Wawelu.

Królem został książę, dla którego korona polska była nobilitacją. Chociaż zaczął swe panowanie od konfliktu z Gdańskiem (zakończonym ugodą i przywróceniem miastu autonomii gospodarczej), okazał się być bardzo pracowitym i odpowiedzialnym władcą, a jego panowanie doprowadziło do wzrostu znaczenia Polski na arenie międzynarodowej. Batory

był doskonałym żołnierzem, zasłynął z kilku błyskotliwych zwycięstw, m.in. pod Pskowem i Wielkimi Łukami. Okres jego rządów wypełniły głównie wojny z Moskwą, zakończone podpisaniem rozejmu w Jamie Zapolskim w 1582 r. Odzyskał dla Polski prawie całe Inflanty oraz Ziemię Połocką.

Król przeprowadził gruntowną reformę armii i zmodernizował jej uzbrojenie. Powstały jednostki inżynieryjne, wprowadzono do użytku mosty pontonowe, budowano

Stefan Batory, A. Lesser

Stefan Batory z żoną Anną Jagiellonką, J. Matejko

Husarze, E. Baranowski

47

XVI-wieczny Lublin

nowe fortyfikacje. Stworzył chłopską piechotę wybraniecką. Założono pierwsze szpitale wojskowe i służby medyczne dla armii. Władca zmienił też organizację polskiej jazdy, przekształcił lekką husarię w jazdę ciężką, w późniejszych latach budzącą grozę u nieprzyjaciół.

Stefan Batory ostro zwalczał samowolę szlachty i możnowładców, prowadził politykę tolerancji religijnej, podniesionej do zasady ustrojowej przez sejm konwokacyjny w 1573 r.

Był zwolennikiem silnych rządów, ale zrzekł się najwyższej władzy sądowniczej i powołał Trybunał Koronny i Litewski.

Batory dbał o rozwój gospodarczy, założył mennice w Olkuszu, Poznaniu i Malborku. Podniósł do godności Akademii dotychczasowe kolegium jezuickie w Wilnie.

Stefan Batory zmarł nagle w Grodnie w grudniu 1586 r. Został pochowany w kaplicy Mariackiej wawelskiej katedry.

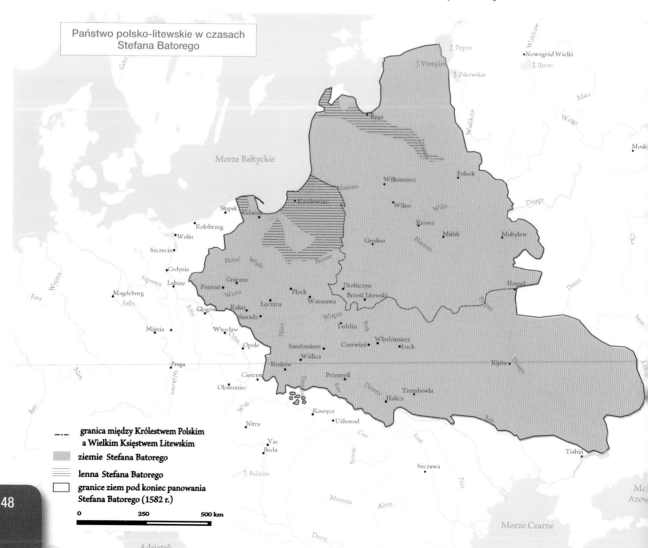

Państwo polsko-litewskie w czasach Stefana Batorego

- - - granica między Królestwem Polskim a Wielkim Księstwem Litewskim

ziemie Stefana Batorego

lenna Stefana Batorego

granice ziem pod koniec panowania Stefana Batorego (1582 r.)

0   250   500 km

Anna Jagiellonka

żyła w latach: 1523–1596
panowała w latach: 1575–1587

Królowa Polski i wielka księżna litewska – Anna była córką Zygmunta I Starego i Bony Sforzy. Przyjęła staranne wykształcenie – jak podaje Hieronim Lippomano, wenecki ambasador w Polsce – doskonale mówiła po włosku. W 1548 r., po śmierci ojca i równoczesnym przejęciu władzy przez brata Zygmunta II Augusta – skłóconego z matką z powodu zawartego potajemnie małżeństwa z Barbarą Radziwiłłówną – Anna z matką opuściły Wawel i przeniosły się na Mazowsze, potem do Wilna. Po śmierci Zygmunta Augusta Anna została jedyną dziedziczką tronu polskiego, ostatnią z rodu Jagiellonów. Miała zostać poślubiona przez króla-elekta Henryka Walezego, jednak ten koronę przyjął, ale zobowiązań wobec Anny nie wypełnił, powróciwszy w czerwcu 1574 r. do Francji. 13 grudnia 1575 r. nadal niezamężna Anna została okrzyknięta królową Polski. W wyniku umiejętnych pertraktacji szlachty, ale także samej Anny, 1 maja 1576 r. odbył się ślub Jagiellonki z księciem Siedmiogrodu Stefanem Batorym. Małżeństwo jednak nie było udane zarówno na płaszczyźnie osobistej, jak i politycznej. Batory do śmierci w 1586 r. próbował nie dopuszczać jej do spraw państwa. Owdowiała królowa wycofała się z życia politycznego, wcześniej jednak zapewniając elekcję na króla Polski swojemu siostrzeńcowi, Zygmuntowi III Wazie. Zmarła 9 września 1596 r., została pochowana w kaplicy Zygmuntowskiej, a mowę pożegnalną wygłosił Piotr Skarga. Opiekowała się Akademią Krakowską, była bardzo pobożna, mocno wspierała działania kontrreformacyjne.

Stefan Batory

Anna Jagiellonka, M. Kober

Zygmunt III Waza

żył w latach: 1566–1632
król Polski w latach: 1587–1632
(król Szwecji: 1592–1598)

Był synem króla Szwecji Jana III Wazy i Katarzyny Jagiellonki, córki Zygmunta I Starego. Planowano, że obejmie tron polski po wygaśnięciu dynastii Jagiellonów, ale jego kandydaturę wysunięto dopiero po śmierci Batorego. Popierała go ciotka, królowa Anna Jagiellonka. W sierpniu 1587 r. został wybrany na władcę Polski, a w grudniu w katedrze wawelskiej odbyła się jego koronacja.

Roszcząc sobie pretensje do tronu szwedzkiego, wplątał Polskę i Litwę w wojny ze Szwecją. Pomimo kilku polskich zwycięstw (Kircholm, 1605; Oliwa, 1627) ich bilans nie był dobry. Utraciliśmy większość Inflant, a okupacja przez Szwedów Pomorza Gdańskiego, choć przejściowa, źle wpłynęła na polski handel morski. Zwolennikom tolerancji religijnej i innowiercom naraził się tym, że jako żarliwy katolik sprzyjał kontrreformacji. Dodatkowo zarzucano mu, że prowadzi politykę popierającą Habsburgów.

Zygmunt III Waza i Anna austriacka, M. Kober

Władca planował przeprowadzenie reform na wzór habsburski, które miały wzmocnić władzę królewską, dążył do zmian w porządku obrad sejmu. Przeciwko królowi buntowali się możni i szlachta, a najbardziej znanym wystąpieniem był rokosz Mikołaja Zebrzydowskiego. Zawiązano go w sierpniu 1606 r. w Sandomierzu i podjęto uchwałę o pozbawieniu Zygmunta tronu i osadzeniu na nim jego syna Władysława. Król pokonał rokoszan pod Guzowem w lipcu 1607 r., ale zrezygnował z reform.

Bitwa pod Kircholmem, P. Snayers (1605)

50

Bitwa pod Cecorą, W. Piwnicki (1878)

Monarcha toczył też wojny z Rosją. Interwencje polskich oddziałów na Kremlu w okresie tzw. wielkiej smuty (kryzys władzy carskiej) wynosiły wprawdzie polskich kandydatów do tronu carskiego (Dymitra, Władysława Wazę), ale nakręcały spiralę nienawiści wszystkich grup społecznych w Rosji do polskiej szlachty. Na kierunku wschodnim, oprócz odbicia Smoleńszczyzny, Zygmunt III Waza nie odniósł spektakularnego sukcesu (liczono na rozszerzenie wpływów katolicyzmu na wschód).

W latach 1620–1621 Polska stanęła przed pierwszą poważną próbą zatrzymania inwazji Porty Osmańskiej. Epizod ten, rozpoczęty klęską wyprawy hetmana Żółkiewskiego pod Cecorą (Mołdawia), zakończyła skuteczna obrona twierdzy chocimskiej.

Zygmunt III Waza zmarł w kwietniu 1632 r. i został pochowany w katedrze wawelskiej. Król nie był lubiany przez poddanych. Był jedynym władcą elekcyjnym, na którego przeprowadzono zamach (w 1620 r.).

W 1596 r. król przeniósł stolicę królewską z Krakowa do Warszawy. Zlecił rozbudowę zamku w Ujazdowie, Zamku Królewskiego w Warszawie, odbudowę Wawelu po pożarze w 1595 r. Był też fundatorem kościoła Świętych Piotra i Pawła w Krakowie oraz konfesji św. Stanisława.

Kazanie Piotra Skargi, J. Matejko (1864)

Władysław IV Waza

żył w latach: 1595–1648
król Polski w latach: 1632–1648

Pierworodny syn Zygmunta III Wazy i Anny Austriaczki od najmłodszych lat był szykowany do objęcia tronu polskiego. Rządy przejął po elekcji w 1632 r., a koronowano go w katedrze wawelskiej 6 lutego 1633 r.

Wkrótce po objęciu władzy król musiał podjąć działania zmierzające do obrony granic Polski i Litwy przed zakusami Rosji, Turcji i Szwecji. Władca był zwolennikiem rozwiązań wojennych, co nie znalazło poparcia u pokojowo nastawionej szlachty. Władysław nie zamierzał też rezygnować z roszczeń do korony szwedzkiej, ani z zaproponowanego mu w 1610 r. tronu moskiewskiego. Dążył do wzmocnienia Polski na Bałtyku, zbudował polską flotę. Planował także wielką wojnę z Turcją, co jednak spotkało się ze zdecydowanym sprzeciwem szlachty. Ostatecznie udało mu się zawrzeć korzystne dla Polski pokoje z głównymi wrogami Polski: z Rosją w Polanowie (1634) i ze Szwecją w Sztumskiej Wsi (1635).

W życiu politycznym ważną rolę odgrywała druga żona króla, Maria Ludwika Gonzaga, która nakłaniała króla do nawiązania sojuszu z Francją i dążyła do wyboru następcy *vivente rege*.

Za panowania Władysława IV Kozacy na ukraińskim Zaporożu wielokrotnie wzniecali powstania i bunty. Ich przyczynami były wielkie feudalne obciążenia chłopstwa ukraińskiego połączone z aktywną rekatolizacją, wywołującą nienawiść do polskiej szlachty, oraz niezrealizowane plany wojny króla Władysława IV z Portą, w której

Bohdan Chmielnicki z Tuhaj-bejem pod Lwowem, J. Matejko (1885)

Władysław IV Waza z żoną i z bratem Kazimierzem, J. Matejko

Odsiecz Smoleńska przez Władysława IV 1634 r., J. Kossak (1879)

rejestrowi (służący w polskim wojsku) Kozacy mieli wziąć liczny udział. Ostatecznie w 1648 r. pod wodzą Bohdana Chmielnickiego wywołali powstanie przeciwko Rzeczypospolitej. Chmielnicki wspierany przez Tatarów Tuchaj-beja rozgromił polskie rycerstwo pod Żółtymi Wodami, Korsuniem i Pilawcami. Władysław IV zmarł podczas wojny z Kozakami w maju 1648 r. w Międzyrzeczu. Pochowano go pod Kaplicą Prandocińską na Wawelu.

Dwór królewski był jednym z najświetniejszych w ówczesnej Europie. Król mieszkał w Zamku Królewskim w Warszawie, który nadal rozbudowywał. Z polecenia władcy w latach 1643–1644 wzniesiono ku czci jego ojca kolumnę, która dziś jest wizytówką Warszawy. Monarcha dokończył rozbudowę zamku w Ujazdowie, zbudował Pałac Kazimierzowski, ufundował Klasztor Kamedułów w Wigrach.

Zaporożcy piszący list do sułtana, I. Riepin (1893)

Jan II Kazimierz

żył w latach: 1609–1672
król Polski w latach: 1648–1668

Syn Zygmunta III Wazy i Konstancji Austriaczki, przyrodni brat Władysława IV, był człowiekiem światłym i wykształconym. Jednak niepowodzenia w działaniach dyplomatycznych spowodowały, że postanowił poświęcić się Kościołowi – w 1645 r. uzyskał godność kardynała. Śmierć brata otworzyła mu drogę do tronu polskiego. Wybrany na króla podczas elekcji w 1648 r., został koronowany 17 stycznia 1649 r. w katedrze na Wawelu. Wkrótce poślubił wdowę po bracie, Marię Ludwikę Gonzagę.

Obejmując władzę, Jan Kazimierz znalazł się w trudnej sytuacji. Kontynuowana wojna z Kozakami Bohdana Chmielnickiego, chwilowo zakończona ugodą zborowską (1649), została na nowo otwarta w 1651 r. wielkim sukcesem pod Beresteczkiem. Kozacy, licząc na skuteczniejszą od tatarskiej protekcję, zawarli jednak sojusz z Rosją (Perejasław, 1654), co doprowadziło do ciężkich walk na wschodzie. Trwały one do 1667 r. i ostatecznie zakończyły się podziałem Ukrainy i utratą Smoleńszczyzny.

Klęski militarne zbiegły się z kryzysem władzy wewnętrznej i sejmu. W 1652 r. sprawa oskarżonego o zdradę Hieronima Radziejowskiego

zdominowała sejm, a w efekcie doprowadziła do pierwszego zerwania obrad za pomocą liberum veto przez Władysława Sicińskiego.

Na osłabioną Polskę w 1655 r. najechały wojska Karola X Gustawa Wazy, który chciał zmusić kuzyna do rezygnacji z pretensji do szwedzkiego tronu. Nieprzerwany marsz Szwedów nazwano potopem. Wroga armia opanowała większość kraju, a król schronił się za granicą. Polska znalazła się w stanie ruiny i rozprzężenia. Skali dramatu dopełniał projekt rozbioru Polski przez jej wrogów (traktat w Radnot, 1656), który wprawdzie nie doszedł do skutku, ale za cenę m.in. zrzeczenia się przez Polskę lenna pruskiego.

Po zawarciu pokoju ze Szwecją i pod koniec wojny z Rosją król i jego małżonka zamierzali podjąć reformy wzmacniające państwo i władzę królewską. Ich próby reform królewskich zakończyły się w 1665 r. wybuchem rokoszu Lubomirskiego. Pokonany i rozgoryczony Jan Kazimierz abdykował w 1668 r. i wyjechał do Francji. Zmarł w 1672 r. w Nevers i spoczął w kościele Jezuitów. Zwłoki króla sprowadzono do Polski w 1675 r. i pochowano na Wawelu.

Karol Gustaw X, A.F. Skjöldebrand

Oblężenie Jasnej Góry w 1655 roku

Michał Korybut Wiśniowiecki

żył w latach: 1640–1673
król Polski w latach: 1669–1673

Był synem księcia Jeremiego Wiśniowieckiego i Gryzeldy Zamoyskiej. Niechęć do polityki Wazów, którą uznano za szkodliwą dla Polski, spowodowała, że podczas kolejnej elekcji zdecydowano o wyborze na tron kandydata narodowości polskiej. W lipcu 1669 r. wybór padł na Michała Korybuta, syna Jeremiego Wiśniowieckiego, cieszącego się rycerską sławą obrońcy ojczyzny z czasów powstania Chmielnickiego. Koronacja monarchy odbyła się we wrześniu 1669 r. na Wawelu. Wkrótce Wiśniowiecki poślubił księżniczkę habsburską Eleonorę Marię Józefę.

Jednak syn okazał się zupełnie niepodobny do ojca. Od początku panowania trafił na silną profrancuską opozycję i nie umiał zapanować nad sporami między różnymi stronnictwami. Walka ta destabilizowała sytuację w państwie i powodowała jego osłabienie na arenie międzynarodowej. Opozycja planowała nawet jego detronizację. Sytuacja ta doprowadziła do gwałtownej niemocy Polski wobec kolejnego zagrożenia tureckiego w 1672 r. Po pierwszych klęskach Polacy zostali zmuszeni do podpisania traktatu w Buczaczu, na mocy którego utracono Podole z Kamieńcem. Szlachta zawiązała konfederację w obronie króla w miejscowości Gołąb i wystąpiła przeciwko jego głównym przeciwnikom - hetmanowi Janowi Sobieskiemu

i prymasowi Andrzejowi Prażmowskiemu - sytuacja groziła wybuchem wojny domowej. Dzięki wstawiennictwu lubianej przez poddanych królowej Eleonory zdobyto fundusze na zorganizowanie wyprawy, zakończonej pokonaniem przez Sobieskiego Turków pod Chocimiem w 1673 r. Michał Korybut Wiśniowiecki nie doczekał już tego sukcesu, zmarł dzień wcześniej we Lwowie. Został pochowany w katedrze wawelskiej.

Bitwa o Kamieniec Podolski w 1672 roku

Bitwa pod Chocimiem w 1673, F. Smuglewicz

Jan III Sobieski

żył w latach: 1629–1696
król Polski w latach: 1674–1696

Był synem Jakuba Sobieskiego, wojewody ruskiego, i Zofii Teofili Daniłowiczówny, wnuczki hetmana Stanisława Żółkiewskiego. Razem z bratem odebrał staranne wykształcenie, znał nawet język turecki. Podróżował po krajach Europy Zachodniej, a na wiadomość o śmierci Władysława IV Wazy i wybuchu powstania kozackiego Chmielnickiego wrócił do kraju.

Jan wziął udział w walkach pod Zborowem, potem w zwycięskim starciu pod Beresteczkiem. Przez następne kilka lat pozostawał w szeregach polskiej armii, zdobywając doświadczenie bojowe oraz ujawniając wielki talent wojskowy. W 1668 r. został hetmanem wielkim koronnym.

Po śmierci Michała Korybuta Wiśniowieckiego elektorzy znowu postanowili wybrać „Piasta", ale tym razem człowieka sprawdzonego i popularnego. W maju 1674 r. na polach Woli królem okrzyknięto Jana Sobieskiego.

Początkowo król prowadził politykę zbliżenia z Francją, potem wszedł w sojusz z Habsburgami. 1 kwietnia 1683 r. zagrożony najazdem tureckim cesarz Leopold I podpisał z Rzecząpospolitą układ o przyjaźni i wzajemnej pomocy. Kilka miesięcy później Sobieski wyruszył na pomoc oblężonemu przez Turków Wiedniowi. Jako wódz połączonych wojsk cesarsko-polskich 12 września 1683 r. pokonał armię wezyra Kara Mustafy, a do historii przeszła największa w dziejach dotychczasowych

Portret królowej Marii Kazimiery z dziećmi, J. Siemiginowski-Eleuter (1684)

Sobieski błogosławi atak wojsk polskich pod Wiedniem, J. Kossak (1871)

Bohdan Chmielnicki

Zbroja Jana III Sobieskiego, Hahn

bitew szarża kawalerii (20 tys. jazdy). Dzięki temu zwycięstwu polski monarcha zyskał wielką sławę. Choć wiktoria wiedeńska doprowadziła po wieloletnich kampaniach na Podolu i w Mołdawii do odbicia polskich Kresów z rąk Porty, to król po 1683 r. musiał zmagać się w kraju z dość liczną, niechętną mu opozycją, zarzucającą mu dążenie do absolucji i ferowanie na tron polski swego syna Jakuba.

Żoną Jana III Sobieskiego była Maria Kazimiera d'Arquien. Listy króla do Marysieńki są przykładem polskiej epistolografii miłosnej XVII w. Król zmarł po długiej chorobie w czerwcu 1696 r. w Wilanowie, w swojej prywatnej rezydencji. Jego pogrzeb odbył się w kościele Kapucynów w Warszawie. W 1734 r. szczątki Sobieskiego złożono na Wawelu w krypcie św. Leonarda.

Sobieski pod Wiedniem, J. Matejko (1882–1883)

August II Mocny

żył w latach: 1670–1733
król Polski w latach: 1697–1706 i 1709–1733
(elektor Saksonii: 1694–1733)

Był synem księcia saskiego Jana Jerzego III z dynastii Wettinów i Anny Zofii Oldenburg. 27 czerwca 1697 r. podczas burzliwych obrad doszło do podwójnej elekcji polskiego króla. Dzięki zapobiegliwości politycznej elektor saski ubiegł kandydata obozu profrancuskiego księcia Contiego i 15 września 1697 r. został koronowany na króla Polski.

August, od 1694 r. elektor saski, dążył do uzyskania podobnej władzy absolutnej jak w Saksonii. Nie bacząc na interesy Polski, sprzymierzył się carem Piotrem I i wciągnął kraj w wojnę północną między Rosją i Szwecją. Król szwedzki Karol XII najechał Polskę. Klęski doprowadziły do rozłamu wśród szlachty. Część zawiązała pod kuratelą szwedzką konfederację przeciwko królowi i ogłosiła jego detronizację. Nowym władcą został wojewoda poznański, Stanisław Leszczyński. Większość szlachty popierała Augusta II, który jednak abdykował, gdy w 1706 r. wojska szwedzkie zajęły Saksonię. Wielka klęska Karola XII pod Połtawą w 1709 r. umożliwiła Augustowi powrót na tron polski. Niestety nie był on łatwy. Próbując umocnić swą pozycję, m.in. dzięki obecnym w Polsce wojskom i urzędnikom saksońskim,

August II Mocny,
A. Lesser

król popadł w konflikt ze szlachtą (konfederacja tarnogrodzka, 1715), z którego udało mu się wyjść dzięki pośrednictwu cara Piotra I. Uchwalony na sejmie niemym w 1717 r. traktat polsko-saski ograniczył unię między państwami do osoby monarchy, a Polska utraciła autorytet polityczny na forum międzynarodowym, stając się wkrótce przedmiotem sojuszu mocarstw ościennych (traktat trzech czarnych orłów, 1732).

Król zmarł w lutym 1733 r. w Warszawie. Jego ciało złożono na Wawelu, a serce w katedrze drezdeńskiej. August był znanym mecenasem sztuki. Najsłynniejszą budowlą wzniesioną za jego czasów jest zespół pałacowy w Dreźnie, tzw. Zwinger, z galerią obrazów znanych malarzy włoskich i niderlandzkich.

Bitwa pod Połtawą,
P.D. Martin

Stanisław Leszczyński

żył w latach: 1677–1766
król Polski w latach: 1704–1709 i 1733–1736

Był synem wojewody poznańskiego Rafała Leszczyńskiego i Anny z Jabłonowskich.

Stanisław Leszczyński był współzałożycielem konfederacji warszawskiej, która 14 lutego 1704 r. zdetronizowała króla Augusta II. Jako delegat szlachty na rozmowy z królem szwedzkim Karolem XII został niespodziewanie wybrany przez niego na kandydata do korony polskiej. Elekcja odbyła się w lipcu 1704 r., a koronacja 4 października 1705 r. w kolegiacie św. Jana w Warszawie. Ze względu na podpisany z królem Karolem XII nierównoprawny układ sojuszniczy i gwałty dokonywane przez okupujące Polskę wojska szwedzkie, jego pierwsze, pięcioletnie panowanie nie zostało nigdy uznane przez większość szlachty.

Po klęsce Karola XII pod Połtawą Leszczyński wyemigrował, a władzę odzyskał August II Mocny. Król znalazł schronienie u księcia Filipa Orleańskiego w Alzacji. Sytuacja Leszczyńskiego zmieniła się w 1725 r., gdy jego córka Maria poślubiła króla Francji Ludwika XV. Była to nagła odmiana w życiu pozbawionego pieniędzy i korony władcy. Jako teść króla Francji na swoją rezydencję otrzymał zamek Chambord nad Loarą.

Po śmierci Augusta II Stanisław Leszczyński ponownie został wybrany królem Polski.

Jednak interwencja wojsk saskich i rosyjskich spowodowała jego abdykację w 1736 r. W wyniku traktatu wiedeńskiego z 1738 r. otrzymał księstwa Baru i Lotaryngii, gdzie był dobrym gospodarzem przez wiele lat. Leszczyński był intelektualistą i mecenasem sztuki. Zamieszkał w Lunéville. Wprowadził modę na rezydencje otoczone parkami. Założył Szkołę Kadetów i Akademię Stanisławowską. Dzięki niemu powstała biblioteka publiczna w Nancy, która działa nieprzerwanie od 1750 r. Leszczyński zmarł w lutym 1766 r. Pochowano go w kościele Notre Dame de Bon Secours w Nancy. W mieście ciągle wspomina się dobrego króla Stanisława, którego pomnik stanął na placu Królewskim w 1831 r.

Leszczyński pozostawił po sobie cały szereg memoriałów i traktatów politycznych, w których m.in. szukał sposobu zaprowadzenia trwałego ładu pokojowego między mocarstwami w Europie.

Spotkanie Stanisława Leszczyńskiego z Karolem XII
w Lidzbarku Warmińskim w kwietniu 1704 roku

Stanisław Leszczyński, A. Lafosse

August III Sas

żył w latach: 1696–1763
król Polski w latach: 1733–1763
(elektor Saksonii: 1733–1763)

Był synem elektora saskiego, króla polskiego Augusta II Mocnego z dynastii Wettinów, oraz Krystyny Eberhardyny.

Po śmierci ojca w 1733 r. objął po nim tron elektorski w Saksonii i rozpoczął starania o tron polski. August przegrał jednak rywalizację ze Stanisławem Leszczyńskim, którego szlachta obrała królem 12 września 1733 r. W wyniku zbrojnej interwencji na rzecz Sasa 5 października odbyła się druga elekcja i królem ogłoszono Augusta, chociaż większość szlachty uważała wybór za nielegalny. 17 stycznia 1734 r. w katedrze wawelskiej odbyła się koronacja Augusta III, ale aktu koronacji nie zatwierdził sejm koronacyjny, co zdarzyło się po raz pierwszy w historii Rzeczypospolitej. Koronacja nie zmieniła jednak słabej pozycji króla, który objął tron wbrew woli szlachty i przy pomocy

Henryk Brühl

obcych wojsk. Wojnę domową zakończyła dopiero abdykacja Stanisława Leszczyńskiego w 1736 r.

Zajęty głównie sprawami Saksonii August III rezydował w Dreźnie, rzadko przyjeżdżając do Polski. Uważany był za osobę bezwolną, nie podejmował żadnych inicjatyw. W kwestiach

Portret Augusta III, P. Rotari (1755)

August III, August II i Stanisław August Poniatowski, J. Matejko

60

Wjazd Augusta III do Warszawy, Johann Samuel Mock

politycznych opierał się na zaufanych współpracownikach, spośród których wyróżniał się Henryk Brühl. Tolerował samowolę magnatów, jako monarcha nie wtrącał się do niczego, więc zyskał popularność wśród sporej części szlachty. Najtragiczniejsze były ostatnie lata rządów Augusta III, kiedy to w wyniku wojny siedmioletniej stracił Saksonię (wraz z całym dworem przeniósł się do Warszawy). W Polsce na powrót panoszyli się sascy ministrowie, budząc emocje polityczne, a król, mimo odzyskania ojczyzny w 1763 r., nie zdołał uzyskać dla niej stosownych do skali pruskich grabieży rekompensat finansowych. Było to wymownym świadectwem upadku obu państw Wettinów na arenie międzynarodowej.

August III Sas zmarł w październiku 1763 r. w Dreźnie i został pochowany w kościele dworskim na drezdeńskim zamku.

Za jego czasów przebudowano wschodnie skrzydło Zamku Królewskiego w Warszawie. August przyczynił się także do powiększenia zbiorów Galerii Drezdeńskiej, założonej przez ojca, wspierał badania archeologiczne w Herkulanum i Pompejach, zniszczonych podczas wybuchu Wezuwiusza. W Lipsku i Dreźnie monarcha finansował działanie polskich drukarni i wydawnictw.

Zamek królewski w Warszawie,
fasada wschodnia

Stanisław August Poniatowski

żył w latach: 1732–1798
król Polski w latach: 1764–1795

Był synem Stanisława Poniatowskiego, podskarbiego litewskiego i wojewody mazowieckiego, oraz Konstancji z Czartoryskich.

W 1755 r. otrzymał urząd stolnika litewskiego i wkrótce wyjechał do Petersburga. Podczas pobytu na dworze carskim miał romans z niemiecką księżniczką Zofią (późniejszą carycą Katarzyną II), żoną następcy tronu.

Poniatowski został królem we wrześniu 1764 r. z inicjatywy carycy Katarzyny II. Jego koronacja odbyła się w grudniu w katedrze św. Jana w Warszawie.

Jako król Poniatowski rozpoczął działania zmierzające do przeprowadzenia reform w kraju. Jednak pod względem politycznym państwo polskie znajdowało się już w stanie rozkładu i jego działalność niewiele mogła zmienić. W 1772 r., po klęsce konfederacji barskiej, Rosja, Prusy i Austria dokonały rozbioru części terytorium Polski i wymusiły na sejmie warszawskim legalizację tego faktu. Ten sam sejm powołał także Komisję Edukacji Narodowej, kluczową instytucję polskiej oświaty, oraz Radę Nieustającą.

Stronnictwo dworskie króla Stanisława Augusta odegrało dużą rolę w tworzeniu dzieła konstytucji, choć przegrana z Rosją wojna w jej obronie i przystąpienie króla do Targowicy (1792) pogrążyły go ostatecznie jako władcę. Doszło do II rozbioru kraju, w którego legalizacji, na sejmie grodzieńskim, król uczestniczył.

Uchwalenie Konstytucji 3 maja, J. Matejko

Herb Rzeczpospolitej i Stanisława Augusta Poniatowskiego

Kościuszko pod Racławicami, J. Matejko (1888)

W 1794 r. podczas powstania kościuszkowskiego Poniatowski był już odsunięty od rządów. Abdykował 25 listopada 1795 r. Zmarł w lutym 1798 r. w Petersburgu i spoczął w kościele św. Katarzyny. Szczątki króla wróciły do Polski w 1938 r. i zostały pochowane w Wołczynie, miejscu jego urodzenia. W 1995 r. umieszczono je w krypcie katedry św. Jana w Warszawie.

Król był wielkim mecenasem kultury i sztuki. Powołał Teatr Narodowy, słynne były jego obiady czwartkowe, podczas których władca podejmował wybitnych ludzi kultury, nauki i sztuki, m.in. poetę Ignacego Krasickiego, historyka Adama Naruszewicza, założyciela Collegium Nobilium – Stanisława Konarskiego czy publicystę Hugona Kołłątaja. Na królewskim dworze działali m.in. malarze – Marcello Bacciarelli, Bernardo Belotto Canaletto i architekt – Dominik Merlini.

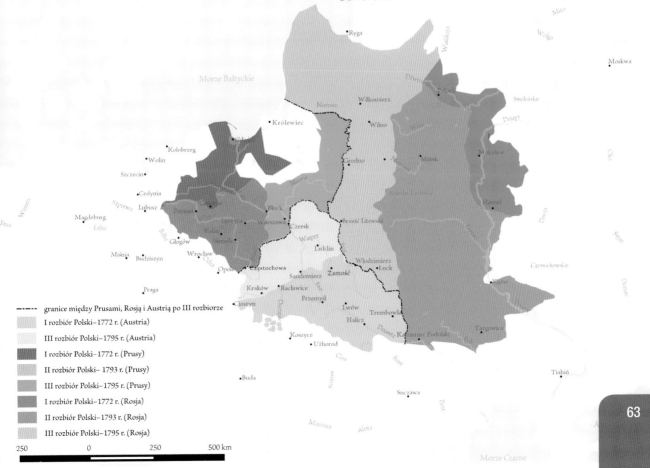

---- granice między Prusami, Rosją i Austrią po III rozbiorze
I rozbiór Polski–1772 r. (Austria)
III rozbiór Polski–1795 r. (Austria)
I rozbiór Polski–1772 r. (Prusy)
II rozbiór Polski– 1793 r. (Prusy)
III rozbiór Polski–1795 r. (Prusy)
I rozbiór Polski–1772 r. (Rosja)
II rozbiór Polski–1793 r. (Rosja)
III rozbiór Polski–1795 r. (Rosja)

250   0   250   500 km

Tekst: Jolanta Bąk

Projekt okładki: Maciej Pieda

Koordynacja projektu i fotoedycja: Krzysztof Żywczak

Opracowanie redakcyjne i korekta: zespół wydawnictwa Dragon, Katarzyna Barcik

Opracowanie map: Alicja Laszuk

Projekt graficzny i łamanie: Elżbieta Olma

Zdjęcia:
legenda: (g – góra, d – dół, l – lewa, p – prawa, ś – środek)

Wnętrze:
Portrety władców: Jan Matejko

Shutterstock.com: © Artur Bogacki (61d)

Domena publiczna: s. 6d, 9gd, 10pl, 11dp, 13d, 15dl, 16d, 16dp, 19d, 20d, 24dl, 27, 28ś, 31g, 31ś, 31d, 34dl, 34dp, 38dp, 40dl, 42d, 45g, 45d, 46d, 48g, 49dp, 50ś, 50d, 51d, 51g, 52dl, 53d, 53g, 55d, 56dl, 56dp, 58ś, 58d, 59d, 62d; Muzeum Narodowe w Warszawie: s. 5d, 25dl, 25dp; www.pinakoteka.zascianek.pl: s. 38dp, 60dl, 61g, 62d, 62ś, 63g

Commons.Wikipedia.org: Licencja CC-BY-3.0: © Jerzy Strzelecki (s. 12d); © Bonio (s. 17d); © Zbigniew Tomczak (18d); © Maciej Szczepańczyk (21dl); © Sebastian Mierzwa (s. 24dp); © Jakub Hałun (26dl)

Archiwum Wydawnictwa Dragon: s. 1,3, 5s. 5g, 8ś, 8dp, 9gl, 11gl, 15dp, 18ś, 19ś, 23g, 23d

Ilustracje archiwalne:
Seweryna Duchińska, *Królowie polscy w obrazach i pieśniach*, Poznań 1893: 11dl, 16gl, 21dp; Michał Stachowicz, *Królowe polskie z dynastyj Piastów*, Lwów 1851: 12ś, 15ś, 26ś, 29ś; *Siegel des mittelalters von Polen...*, Berlin 1854: 22ś, 37ś, 38ś, 39ś, 40dp, 41ś, 42ś; Jan Matejko, *Ubiory w Polsce 1200-1795*, ok. 1875: 22d, 30ś, 35dl, 39dl, 43dl, 47dl, 52dp, 60dp; Jan Matejko, *Poczet królów i książąt polskich*, 1890–1892 (26dp, 35dl, 38dl, 43g); Jerzy Samuel Bandtkie, *Dzieje Królestwa Polskiego*, Wrocław 1820: 28dp; Ludwig Kohl, *Wacław II Czeski i Wacław III w scenie historycznej...*, 1789: 29d; Franciszek Smuglewicz, *Kazimierz W. Seym w Wiślicy*, przed 1807: 32d; Walery Eljasz Radzikowski, *Kraków dawny i dzisiejszy*, Kraków 1902: 33ś; J.J. Siwicki, *Książka do nabożeństwa dla Polek*, Wrocław 1827: 35dp; Jan Bratkowski, *Album Grunwald. Szkic historyczny*, Warszawa 1910: 37dp; *Wzory sztuki średniowiecznej i z epoki odrodzenia po koniec wieku XVII...*, Warszawa 1853–1855: 41dl, 45gp, 53gp; Aleksander Lesser, *Królowie polscy: wizerunki. Les portraits des rois de Pologne*, Warszawa 1860: 47ś, 58ś; E. Baranowski, *Husarze*, 1883: 47dp; Stephanus D. *Gra Rex Poloniae Magnus Dux Lituan*, 1601–1625: 49dl; Jan Styfi, *Bohdan Chmielnicki*, 1877: 53ś; Caspar Merian, *Maria de Nevers Royne de Pologne*, 1647: 53d; *Oblężenie Jasnej Góry w 1655 r.*, 1750–1850: 54dp; Anders Fredrik Skjöldebrand, *Batailles de Charles X Gustave...*, Sztokholm 1806: 54dl; *Caminicz*, po 1672: 55ś; Bohdan Chmielnicki, *Exercitus Zaporouien Præfectus...*, 1663: 57gl; Leonard Chodźko, *Histoire de Pologne...*, Paris 1855: 59dl; Adolphe Lafosse, *Stanisław Leszczyński, król Polski*, 1845–1875: 59dp; *Heinrich des H.R.R. Graf von Brühl...*, po 1732: 60ś

Okładka:
Shutterstock.com: © Morphart Creation; domena publiczna; Archiwum Wydawnictwa Dragon

Wyklejka:
Shutterstock.com: © Akos Nagy

Wydanie I
© Copyright for the text, cover and layout
by Wydawnictwo Dragon Sp. z o.o.
Bielsko-Biała, 2019

Wyłączny dystrybutor:

TROY-DYSTRYBUCJA sp. z o.o.
ul. Mazowiecka 11/49
00-052 Warszawa
tel./faks 22 725 78 12

Wydawnictwo Dragon Sp. z o.o.
ul. Barlickiego 7
43-300 Bielsko-Biała
www.wydawnictwo-dragon.pl

ISBN 978-83-7887-911-4

Oddział
ul. Kręta 36, 05-850 Ożarów Mazowiecki

Zapraszamy na zakupy na: www.troy.net.pl

Znajdź nas na: www.facebook.com/TROY.DYSTRYBUCJA